créez vos bijoux

créez
vos bijoux

maya brenner

 **Broquet**

97-B, Montée des Bouleaux, Saint-Constant, Qc,
Canada J5A 1A9, Tél.: (450) 638-3338 Téléc.: (450) 638-4338
Internet : http://www.broquet.qc.ca
Courriel : info@broquet.qc.ca

LONDRES, NEW YORK, MELBOURNE, MUNICH ET DELHI

Catalogage avant publication de Bibliothèque et Archives Canada

Brenner, Maya

Créez vos bijoux

(Inspiration artistique)
Traduction de : Beaded Jewelry.
Comprend un index.

ISBN 978-2-89000-806-9

1. Bijoux - Fabrication. 2. Broderie de perles. I. Titre. II. Collection.

TT212.B7414 2007   745.594'2   C2006-941755-5

Pour l'aide à la réalisation de son programme éditorial, l'éditeur remercie :
Le Gouvernement du Canada par l'entremise du Programme d'Aide au développement de l'industrie de l'édition (PAIDÉ) ; La Société de développement des entreprises culturelles (SODEC) ; L'association pour l'exportation du livre Canadien (AELC).
Le Gouvernement du Québec - Programme de crédit d'impôt pour l'édition de livres - Gestion SODEC.

Titre original : Beaded Jewellery
Tous droits réservés © 2006 Dorling Kindersley Limited
Tous droits réservés sur le texte © Maya Brenner, 2006

Pour le Québec : Tous droits réservés © Broquet Inc., Ottawa 2006
Dépôt légal - Bibliothèque nationale du Québec
1er trimestre 2007

ISBN- 978-2-89000-806-9

Éditrice du projet Betsy Hosegood
Éditrice artistique Miranda Harvey
Conceptrice Kathy Gammon
Éditrice senior Shannon Beatty
Éditrice artistique senior Peggy Sadler
Directrice de la rédaction Penny Warren
Directrice de la présentation artistique Marianne Markham
Gestionnaire des opérations d'édition Gillian Roberts
Éditrice à la créativité Mary-Clare Jerram
Directeur artistique Peter Luff
Directrice de l'édition Corinne Roberts
Conception DTP Sonia Charbonnier
Vérificatrice de la production Mandy Inness
Traduction Guillaume Labée
Révision Maria Tahmazian
Infographie Chantal Greer

Le bracelet vert porte-bonheur (pages 108 à 111) et le bracelet d'époque à fils multiples (pages 112 à 115) sont présentés avec la permission de Maya Brenner pour Luxe Jewels.

table des matières

à propos de l'auteur

Maya Brenner est la fondatrice de l'entreprise Maya Brenner Designs et en conçoit tous les bijoux. Depuis les débuts de l'entreprise en 1998, la gamme de bijoux de Maya a connu une croissance exponentielle et ses bijoux sont maintenant disponibles dans des magasins américains de même qu'en Angleterre et au Japon.

Les bijoux de Maya ont pu être aperçus dans un nombre impressionnant d'émissions télévisées américaines de grande écoute incluant « Friends », « The Today Show », « Desperate Housewives », « The O.C. », « American Idol », « The Bachelor » et « Alias », et apparaissent régulièrement sur E! « Entertainment Television ». Maya compte parmi ses clients les célébrités suivantes : Paula Abdul, Cindy Crawford, Cameron Diaz, Teri Hatcher, Salma Hayek, Lindsay Lohan, Debra Messing, Demi Moore, Mandy Moore, Alannis Morrisette, Nicole Richie, Rebecca Romijn-Stamos, Molly Sims, Tori Spelling et Reese Witherspoon. Les bijoux de Maya Brenner ont également été à l'honneur dans des journaux et des magazines, du *New York Times* au magazine *Glamour,* en passant par *Women's Wear Daily, InStyle, Cosmopolitan* et plusieurs autres.

En janvier 2002, Maya a remporté le « Rising Star award for Jewellery » décerné par le Fashion Group International, joignant ainsi les rangs des nouveaux venus les plus remarquables dans l'industrie du design, et prouvant qu'elle a officiellement sa place dans le milieu.

En 2003, Maya a donné naissance à Jack, ce qui lui a donné l'inspiration lui permettant de créer les colliers à breloques en or et en argent qui se sont très bien vendus partout dans le pays. Plus récemment, Maya a été embauchée en qualité de Designer en chef pour Luxe Jewels, une entreprise de vente directe qui vend des trousses permettant de créer soi-même ses propres bijoux à la manière de Maya. Elle est également en phase de production avec QVC pour lancer une gamme de bijoux sur leurs émissions de télévision.

Dans ce livre, Maya révèle certains de ses secrets en matière de design et vous explique comment créer une sélection de ses créations les plus réussies étape par étape, vous permettant ainsi de fabriquer des bijoux de designer à une fraction du prix en magasin. Mettez ses techniques en pratique et peut-être qu'un jour, vous aurez vous aussi votre propre gamme de bijoux.

pour l'amour des perles

J'adore les perles. Une simple perle est pour moi une entité miniature s'approchant de la perfection, mais quand une perle est assemblée avec d'autres, elles peuvent prendre ensemble une toute nouvelle forme. Elles peuvent être voilées ou voyantes, hautes en couleur ou monochromatiques. Travailler avec des perles offre une infinité de combinaisons, de possibilités et de formes de plaisir.

Les perles sont appréciées à l'échelle universelle. Elles sont présentes dans la grande majorité des cultures, et peuvent être fabriquées à partir de dents d'animaux, d'arêtes de poissons, d'argile ou de pierre, et se développent de pair avec les cultures. Il existe de nos jours une telle variété de perles séduisantes dans le monde entier qu'il est très facile de se laisser emporter comme un enfant dans un magasin de bonbons.

Le bon style pour la bonne occasion

Les perles sont merveilleuses parce qu'elles sont prestigieuses, élégantes, séduisantes, brillantes, chic, magnifiques et amusantes. En fait, elles sont ce que vous voulez qu'elles soient. C'est vous qui décidez de l'humeur qu'elles refléteront de par la sélection de perles que vous ferez et la manière dont vous les agencerez. Que vous portiez des bijoux en tout temps et souhaitiez quelque chose pour chaque occasion ou encore que vous vouliez cet article unique et parfait que vous avez toujours désiré, sachez que vous pouvez le réaliser avec des perles, et prendre plaisir à le faire.

Le sens qui convient

Le fait de choisir vos propres perles ne vous donne pas seulement le contrôle sur le style, mais aussi sur le sens. Pourquoi ne pas inclure, par exemple, une pierre de naissance ou un signe du zodiaque? Vous pourriez aussi choisir des pierres auxquelles on attribue des significations ou des pouvoirs: un péridot pour attirer l'amour et l'argent; un corail pour protéger les enfants et transmettre de la sagesse; une tourmaline pour un sommeil en toute quiétude, ou une citrine pour remonter le moral et apaiser les nerfs. Il y a plein de sites Web où vous pouvez vous informer à ce sujet et plein de plaisir en vue à concevoir un bracelet mystique. Quels que soient vos intérêts, votre style ou votre humeur, il y a des perles qui feront l'affaire. Et dites-moi, qu'est-ce qui pourrait être plus passionnant, enthousiasmant et gratifiant que ça?

une sélection stupéfiante

Vous pouvez vous procurer des perles de toutes les tailles et de toutes les formes possibles. En ce qui me concerne, je suis incapable de les voir et de ne pas les désirer.

Vous pouvez fabriquer un modèle en moins de 30 minutes, le porter à une soirée et le défaire le jour suivant, vous laissant libre de fabriquer quelque chose de complètement nouveau.

pourquoi le faire soi-même?

La création de bijoux perlés est un passe-temps alliant créativité, expression artistique, économie d'argent et plaisir, qui offre de plus des possibilités infinies. Et si cela n'est pas suffisant pour vous inspirer, pensez aussi à tous ces jolis cadeaux que vous pourrez fabriquer pour votre famille et vos ami(e)s – et même pour vous ! – et le tour sera joué.

La première raison pour créer vous-même vos bijoux est que cela est excessivement amusant ! J'adore le sentiment instantané de satisfaction qui m'envahit quand je m'assois pour fabriquer un collier et que je sais que j'aurai quelque chose de différent à porter le soir même. Vous pouvez fabriquer des bijoux qui s'agenceront avec un ensemble particulier ou avec une combinaison de couleurs que vous aimez, ou encore vous pouvez les créer pour rehausser votre état d'esprit et votre bien-être étant donné les vertus pour la santé que l'on attribue à certaines pierres semi-précieuses.

économie

Si vous êtes fanatique de bijoux comme je le suis, vous constaterez rapidement que la création de vos propres modèles est un excellent moyen d'épargner pas mal de sous, une fois l'investissement initial pour les outils de base et les fournitures effectué. Je suis incapable de tenir le compte des sommes d'argent que j'aurais pu économiser si j'avais confectionné mes propres bijoux au lieu de les avoir achetés. De plus, j'aurais pu les créer selon la longueur et les couleurs que je souhaitais avoir plutôt que de me contenter de ce qui était disponible. Une fois les techniques acquises, vous pourrez même défaire des modèles que vous n'aimez plus et les transformer en autre chose plus à la mode (voir pages 212 et 213), vous garantissant ainsi du plaisir et de la créativité sans fin.

rêve chinois
La fabrication de vos propres bijoux vous permet de créer un modèle qui soit fait sur mesure pour vous ou pour des ami(es).

variation en tons pastel
Bien qu'il ait été créé avec la même technique de nœuds que le modèle sur la gauche, ce collier présente un aspect tout à fait nouveau.

par où commencer

Vous avez déjà fait les premiers pas vers la fabrication de vos propres bijoux en ouvrant ce livre et en le lisant. Vous devez maintenant commencer avec quelque chose de simple et travailler à partir de là. Les projets faciles contenus dans ce livre vous permettront d'acquérir les techniques de base. Après cela, les possibilités sont infinies.

Votre point de départ pour tout projet est de réfléchir au type de bijou que vous aimeriez et que vous pourriez porter de façon confortable, et de continuer à partir de là. Vous pouvez vous inspirer avec de livres comme celui-ci, de magazines, de magasins de bijoux, de sites Web et de tout autre endroit où vous pouvez examiner des bijoux à votre aise.

développer des habiletés

Une autre option pour développer des habiletés en plus de lire ce livre est de suivre des cours à un magasin de perles local ou à un collège. Plusieurs écoles offrent des cours de fabrication de bijoux et certains sont même offerts en soirée. Un des premiers cours que j'ai suivi était donné par le YMCA. J'ai aussi demandé à certaines personnes qui travaillaient dans les magasins de perles où je m'approvisionnais de m'enseigner quelques techniques. C'est ainsi que j'ai appris à faire des enroulements avec fil dans un magasin de perles.

obtenir du matériel

Il y a des magasins de perles qui ouvrent leurs portes partout sur la planète. S'il n'y en a pas près de chez vous, vous pouvez commander du matériel en ligne. Je vous conseille cependant d'acheter votre matériel en personne autant que possible, afin que vous puissiez toucher et sentir les perles.

De plus, il peut être déroutant de s'y retrouver avec les tailles et les formes si vous n'êtes pas encore habitué aux perles, il est donc plus simple de les voir côte à côte.

surmonter l'angoisse du collier sans perles

La meilleure façon de commencer est justement le fait, de commencer. Ne vous en faites pas si vos modèles ne sont pas parfaits à vos débuts. La pratique est la clef du mystère. Croyez-le ou non, certains des modèles les plus compliqués sont en fait très simples. Je vous souhaite donc bonne chance et bien du plaisir à «perler»!

échelle de difficulté

Pour vous aider à déterminer ce qui est facile à faire de ce qui est plus difficile, nous avons établi l'échelle de difficulté suivante pour tous les projets dans la section designer des pages 84 à 153 qui va comme suit :

●○○ facile   ●●○ intermédiaire   ●●● avancé

simple
Il existe plein de projets faciles pour les débutants, comme ces adorables boucles d'oreilles à pendentifs (voir page 90).

plus compliqué
Certains projets demandent un peu plus de temps et d'expérience, comme ce bracelet (voir page 106).

avancé

Ce collier sensationnel, qui vous est présenté
aux pages 146 à 149, est un projet avancé
mais les instructions étape par étape le divisent
en sections faciles, ce qui fait qu'après avoir
réalisé quelques modèles avec succès, vous
pourrez vous essayer celui-ci.

choisir les bonnes perles

Avec le nombre incalculable de perles séduisantes sur le marché, il y a de quoi se demander comment les choisir. Le choix est certainement surprenant et il est facile de ne pas trop savoir quoi faire. La meilleure façon d'aborder le tout est d'avoir une idée claire de ce que vous voulez confectionner avant de courrir les magasins. Vous saurez ainsi ce que vous devez chercher. Voici quelques conseils pour vous aider à y voir clair.

Le **budget** est toujours au centre de toutes vos préoccupations en matière d'achats. Évidemment, nous aimerions tous travailler avec des rubis, des émeraudes et des diamants, mais il faut faire preuve d'un peu de réalisme. Si votre budget est vraiment limité, ne vous aventurez même pas dans la section des pierres semi-précieuses. Jetez plutôt votre dévolu sur ce qui est disponible en résine, en plastique, en bois et en verre, et pensez à mélanger quelques superbes perles qui attireront l'œil avec des perles en forme de graine ou d'autres perles plus abordables.

La **taille** et la **forme** des perles se rapportent au design général. Vous trouverez pour chaque modèle de ce livre la liste des perles que j'ai utilisées. Vous n'avez pas à faire exactement comme moi, et la liste vous donnera une idée des tailles et des formes qui pourraient convenir.

Le **style** est tout à fait une question de préférence personnelle et je ne peux vous aider dans ce domaine ; vous savez déjà ce que vous aimez.

Le **matériel** concerne l'apparence et l'aspect pratique. Plusieurs pierres semi-précieuses peuvent être égratignées ou brisées, alors ne les choisissez pas pour fabriquer des articles d'allure décontractée, même si vous avez le budget pour le faire. Ces pierres sont cependant très belles et peuvent s'avérer le choix idéal pour rehausser une tenue de soirée.

Le **poids** est également un facteur à considérer, ce qui est une des raisons pour lesquelles il est préférable de voir les perles et de les prendre dans la main avant de les acheter. Les perles lourdes peuvent être peu confortables à porter, non seulement pour les boucles d'oreilles, mais aussi pour les colliers et les bracelets, si vous en avez trop.

La **couleur** est la raison pour laquelle plusieurs d'entre nous choisissent des perles. Un thème à une ou deux couleurs produit toujours un bel effet, et vous pouvez mélanger des perles de tous les types qui conviennent à tous les budgets. Il n'y a pas de mal à choisir les perles de cette façon, mais peut-être voudrez-vous faire attention à ne pas confectionner tous vos modèles avec le même thème de couleurs !

petites et légères
Les petites perles peuvent paraître insignifiantes dans le présentoir, mais quand on en regroupe plusieurs, elles deviennent magnifiques (voir pages 94 et 95).

grandes et petites
Créez un effet de gradation en combinant des perles de différentes tailles (voir pages 92 et 93).

audace et beauté

Ces perles de bois sont belles de par leur simplicité, et font ressortir leurs différentes textures
et couleurs quand elles sont combinées. Les
perles dorées ajoutent un effet de prestige
(voir pages 130 à 133).

préparation

à propos des perles

Les perles ont été utilisées par les Romains et les Grecs de l'Antiquité dans les abaques. Elles ont aussi servi de monnaie pour les marchands du Moyen Âge, et pour tenir le compte des prières répétées des prêtres et des moines. Elles ont donc occupé une place spéciale dans les vies humaines pendant un grand nombre de siècles. De nos jours, nous les utilisons surtout à des fins de décoration personnelle ou culturelle, et cette pratique est toute aussi sinon plus ancienne, comme les fouilles archéologiques en Afrique et en Orient permettent de le constater. Les qualités fascinantes des perles – leurs couleurs et leurs formes complexes et captivantes – continuent de nous émerveiller et maintiendront probablement encore longtemps la place qu'elles occupent dans nos cœurs pour les siècles à venir.

tailles et formes

Si vous n'avez encore jamais mis les pieds dans un magasin de perles, vous serez vraiment étonnés de tout ce que vous pourrez y trouver, et pas seulement en termes de types de perles ou de couleurs, mais aussi au niveau des tailles et des formes.

1 Les perles en forme de graine sont très souvent associées à la broderie, mais elles sont excellentes lorsque utilisées pour les espacements entre les plus grosses perles ou en groupe (voir les modèles des pages 112, 113 et 150 à 153).

2 Les cônes peuvent être utilisés en tant que pendentifs ou enfilés sur le côté.

3 Les grands tubes richement ornés font de merveilleuses perles centrales.

4 L'étoile est une forme de perle populaire et offre un changement de rythme.

5 Les formes de fantaisie comme ces papillons sont excellentes pour les pièces amusantes et funky.

6 Les perles en forme de goutte sont idéales pour les boucles d'oreilles et les bracelets (voir le collier Fiesta aux pages 134 à 137). Elles sont faites de cristal réfléchissant.

7 Les triangles sont des formes inhabituelles sans être farfelues.

8 La croix celtique est une forme de fantaisie populaire.

9 Certaines occasions demandent un petit quelque chose qui sort de l'ordinaire. Ces étoiles de mer accompagneraient à merveille un costume de sirène.

10 Ces perles tubes ont plusieurs utilités et remplissent un fil rapidement et, à peu de frais.

11 Ces cadres carrés de cristal réfléchissant sont inhabituels et accrocheurs.

6

7 8

9 10

11

tailles et formes

Voici d'autres tailles et formes qui pourraient vous inspirer.

1 De larges rectangles plats font de bonnes perles centrales.

2 Les petites perles de cristal à facettes sont parmi les perles les plus utiles.

3 Lorsque des facettes sont découpées sur des perles de bois, c'est la variation de l'angle du grain de bois qui crée de l'ombrage, ce qui peut avoir beaucoup de style.

4 Les perles de forme hexagonale ont une apparence moderne et font changement des formes rondes traditionnelles.

5 Ces perles en forme de fleurs sont inhabituelles. Elles pourraient être mises en valeur dans le bon contexte.

6 De larges carrés plats comme les hexagones et les rectangles offrent une alternative élégante aux perles rondes traditionnelles.

7 Les perles en forme de beignes font d'excellents médaillons.

8 Ce médaillon inhabituel en bois est percé à travers un des coins. Il peut alors pendre comme une croix celtique.

9 Ressemblant à des bonbons enveloppés, ces carrés gonflés sont faits de verre et du papier aluminium est enfermé à l'intérieur. Ils sont percés sur la diagonale pour encore plus d'originalité.

10 Élégantes et utiles, ces perles en forme de grains de riz sont populaires et versatiles.

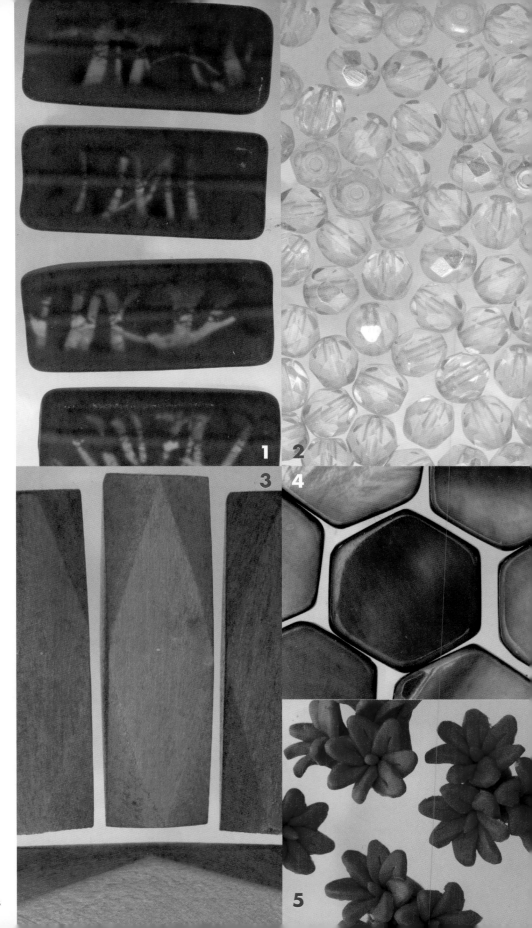

6 7 8 9 10

tailles et formes

Voici encore quelques perles à la ligne typiques de celles qui sont disponibles sur le marché. Il existe des milliers d'autres formes parmi lesquelles choisir, mais ces pages devraient vous donner une idée des choix qui s'offrent à vous.

1 Les perles en forme de tubes sont faciles à produire et vous trouverez des tas de perles de ce genre, particulièrement parmi les perles les moins chères.

2 Si vous souhaitez inclure des pierres semi-précieuses dans votre bijou et que vous voulez maintenir un coût raisonnable, alors ces fragments de pierre polis sont pour vous. Ils offrent une forme naturelle intéressante, tel que démontré sur la photo.

3 Les rondelles sont comme les perles en forme de beignes et sont hautement utiles et versatiles.

4 Les ovales plats sont très élégants lorsqu'ils sont faits à partir de matériel de qualité comme ceux-ci en nacre. Ils sont excellents pour obtenir un style classique.

5 Ces perles inhabituelles ressemblent à des coccinelles noires et sont très amusantes.

6 Les médaillons ont un trou à une extrémité pour l'enfilage. Celui-ci est une rondelle de coquillage.

7 Un autre médaillon, cette fois un grand carré, qui tire le meilleur parti d'un beau coquillage.

8 De grandes perles en forme de roues avec un trou au centre. À utiliser en tant que perle ou médaillon.

9 Ces perles qui donnent un effet d'os sont percées du côté étroit afin que les plumes pendent vers le bas. Achetez-en une paire pour concevoir des boucles d'oreille qui sortent de l'ordinaire, ou utilisez-en une au centre d'un collier pour attirer l'attention.

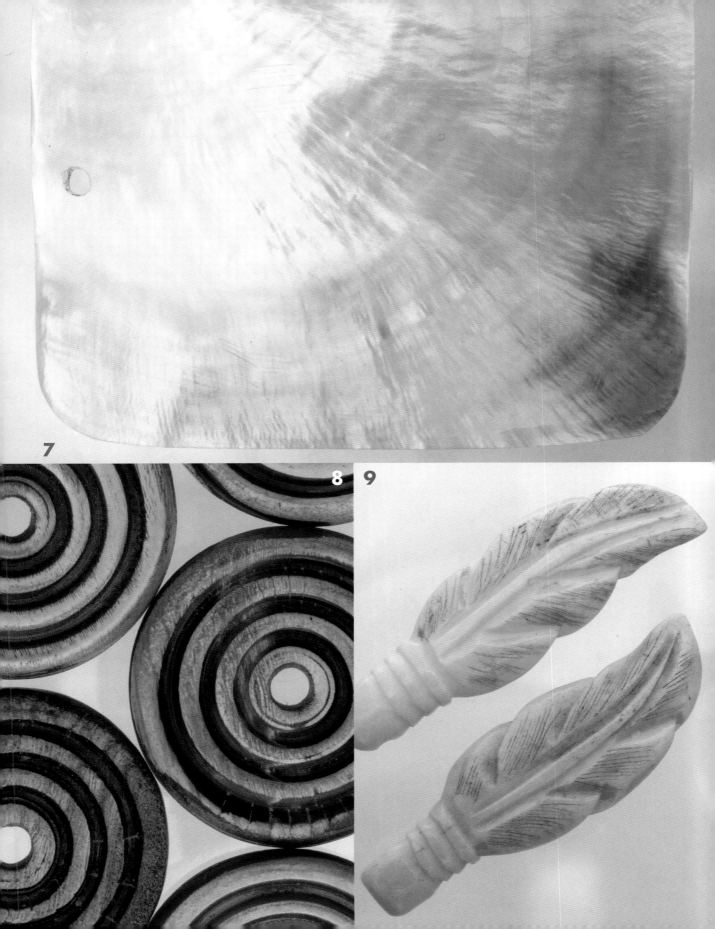

7

8 9

verre

Ces perles prennent vie quand la lumière les atteint, ce qui les fait étinceler de manière séduisante et briller de toutes leurs couleurs. Elles sont plus lourdes que les perles de plastique ou de résine, mais moins que les perles de métal.

1 Les grandes perles en forme de baril produisent un bel effet en compagnie de versions plus décoratives.

2 Une apparence dépolie, quelquefois obtenue en insérant du papier d'aluminium à l'intérieur de la perle, procure au verre ordinaire une élégance ajoutée sans coûter les yeux de la tête.

3 Ces grandes perles dépolies pourraient être utilisées en pièces centrales sur des colliers ou des bracelets.

4 Ces perles plates en forme de cœur sont idéales pour des boucles d'oreilles, mais peuvent aussi être utilisées sur des colliers ou des bracelets. Sachez par contre que si elles sont enfilées, elles seront de côté.

5 Des fils de verre tordus passent sur la surface de ces perles, offrant une couleur et une texture subtiles.

6 Le verre réfléchissant produit un scintillement fantastique et profite au maximum de toute la lumière disponible, mais ces perles ont de bons et de mauvais côtés, ce qui fait que vous ne pourrez pas toujours les utiliser.

7 Les perles en verre dépoli vont bien ensemble et peuvent être agéablement combinée.

8 Les grosses perles de verre sont parfaites pour produire un look ethnique.

9 Les grosses boules de verre sont peu coûteuses et un petit nombre d'entre elles sont requises pour faire un bracelet.

10 Les perles de verre en forme de graine sont étonnamment versatiles, et indispensables à avoir dans votre collection.

11 Les perles blanches et transparentes vont avec à peu près n'importe quoi. Achetez-les dans leurs différentes tailles et vous serez surpris d'en manquer aussi vite.

6

7 8

9 10

11

cristal
et verre
décoratif

Qu'elles soient d'une beauté à couper le souffle ou simplement amusantes et funky, les perles décoratives en verre et en cristal occuppent certainement une place dans votre boîte de perles. Le problème est qu'elles peuvent également créer un vide dans votre porte-monnaie.

1 Ces perles décoratives en verre assez funky ne sont pas trop chères et les enfants aiment leurs couleurs brillantes.

2 Le papier doré que l'on retrouve à l'intérieur de ces perles leur donne un air classique. Elles seraient parfaites pour la réalisation d'un bracelet de style antique (voir page 112).

3 Soyez à l'affût de perles de verre coloré présentées sous ces formes si vous voulez que vos bijoux aient un caractère unique.

4 Les perles de cristal rouge brillent avec une couleur intense. Ces gouttes donneraient une apparence fantastique à n'importe quel modèle.

5 Le cristal réfléchissant reflète la lumière comme nulle autre. Ces cœurs dorés sont assurés d'obtenir l'attention qu'ils méritent.

6 Vous ne savez pas quelle couleur utiliser ? Choisissez des perles comme celles-ci et faites ensuite un choix parmi les autres perles pour les accompagner.

7 Ces carrés de verre plat ont une apparence funky.

8 Vous n'avez pas besoin de plus d'une ou deux de ces perles centrales dans votre modèle.

9 Ces perles sensationnelles en forme de beigne peuvent être utilisées en tant que médaillon.

10 Ces cônes de verre avec un papier d'aluminium au centre possèdent une élégance subtile.

11 De petites perles de cristal mettent en valeur la couleur de votre thème. Elles sont disponibles en plusieurs tailles et couleurs.

1 - 2
3   4
5

résine et plastique

Ces perles légères et colorées sont celles qu'utilisent souvent les débutants. Elles sont souvent disponibles en paquets multiples économiques, et sont parfaites pour qui veut tenter l'expérience. Elles peuvent être combinées avec des perles similaires ou utilisées pour remplir le fil entre des perles plus chères, produisant un bon effet.

1 Ces perles jaune mat à facettes se combinent particulièrement bien avec des perles de bois ou de verre.

2 Ces perles rouges de couleur vive ajouteront une note spectaculaire à tout modèle.

3 Des perles décoratives comme celles-ci sont disponibles en acrylique ou en verre et donnent une apparence jeune.

4 L'acrylique peut être moulé en plusieurs types de formes, comme ces fleurs funky.

5 Des beignes brillants peuvent procurer un changement de rythme.

6 Ces perles créeraient un bijou merveilleusement festif.

7 Certaines de ces formes de perle fantaisistes seraient parfaites pour des modèles d'occasions spéciales, comme un mariage.

8 De brillantes boules jaunes ajoutent une touche de soleil à une journée sombre.

9 Combinez des couleurs brillantes pour créer un effet.

10 Ces perles plates inhabituelles semblent suffisamment bonnes pour être mangées et sont très versatiles.

11 Ce ne sont pas toutes les perles d'acrylique et de plastique qui sont brillantes. Cet échantillon nous montre à quel point elles peuvent être utiles pour créer des effets subtils. Combinez ces perles avec quelques cristaux transparents pour un effet chatoyant et délicat, qui conviendrait à une princesse.

métal

Les perles de métal sont parmi les perles les plus utiles. Utilisez-les comme séparateurs pour qu'elles ajoutent de la richesse à votre travail, ou pour mettre en valeur des perles spéciales, ou encore pour en faire la pièce centrale de votre modèle. Un avertissement cependant: certaines perles de métal sont très lourdes, alors n'en mettez pas trop.

1 Les perles de métal tressé sont légères et ont une apparence délicate.

2 Ces grosses perles de couleur or ont un style exotique.

3 Ces disques plats de couleur or constituent des éléments centraux inhabituels.

4 Plusieurs perles de métal arborent des gravures complexes qui ajoutent des détails subtils.

5 Ces petites perles à facettes ont beaucoup d'utilités. Choisissez-les pour les apparier à la couleur du fermoir.

6 Ces perles de couleur argent ont une apparence indienne. Elles sont disponibles en argent sterling.

7 Offrant un contraste total, ces perles de métal possèdent un style ultramoderne.

8 Des perles de métal cannelé comme celles-ci font bien dans plusieurs situations. Elles sont également légères, ce qui est un sérieux avantage.

9 Vous n'avez besoin que de quelques-uns de ces gros hexagones pour obtenir un effet bien voyant (voir le bracelet rapide et facile de la page 170).

10 Voici la version en or n° 6. La couleur or varie, portez-y attention quand vous en combinez plusieurs.

11 De petites perles en or ou en argent comme celles-ci peuvent être utilisées en tant que séparateurs de part et d'autre de vos perles centrales.

6

7 8

9 10

11

bois

Les perles en bois sont disponibles en plusieurs tons voilés, du chamois et miel aux riches rouges, bruns, gris et même noirs. Elles s'agencent bien avec les perles de métal (voir page 170) et se combinent aussi de belle façon avec les perles semi-précieuses comme vous pouvez le voir sur le collier turquoise et corail aux pages 146 à 149.

1 Ces perles en forme de barils ajouteront du corps à votre travail.

2 Des perles couleur chamois comme ces longs tubes à facettes vont avec la plupart des styles.

3 Ces gros beignes de bois offrent un changement de rythme.

4 Ces perles de marqueterie font d'excellentes perles centrales.

5 Les perles de bois peuvent être teintes. Vous pouvez les teindre vous-mêmes ou les acheter déjà prêtes.

6 Ces perles dont les facettes créent des motifs de gris et de chamois sont élégantes et versatiles.

7 Les teintes naturelles du bois s'harmonisent avec presque tout et se combinent merveilleusement les unes avec les autres (voir pages 130 à 133).

8 Ces perles sensationnelles font d'excellents médaillons. Essayez d'en utiliser une comme alternative au coquillage dans le modèle Rêve des îles (voir pages 150 à 153).

9 Les perles de bois ont un bel effet quand elles sont teintes ou peintes dans une couleur chaude, ce qui augmente la chaleur naturelle du bois.

coquillage

Le coquillage est un matériel merveilleusement varié qui peut être utilisé de très belle façon en compagnie des perles de cristal, de verre et de pierres semi-précieuses. Les perles de cette nature sont souvent disponibles en médaillons et font d'excellentes perles centrales.

1 Cette tranche de coquillage a été percée de façon à servir de gros médaillon. Elle convient davantage à un collier puisqu'elle est relativement lourde.

2 Vous pouvez voir ce gros médaillon rond en coquillage sur le modèle Rêve des îles à la page 150.

3 Bien que ce coquillage ait été acheté dans un magasin de perles, vous pouvez trouver des spécimens semblables le long des plages en vacances, ce qui rendra votre modèle encore plus spécial.

4 La nacre est un coquillage relativement abordable et est souvent teinte pour produire de belles couleurs. La combinaison d'une élégante forme carrée et de la couleur verte convient pour des perles plus subtiles mais très chics.

5 Ces perles de nacre crémeuses ont été découpées en ovales plats – une forme très utile pour toutes les sortes de bijoux.

6 Le coquillage se combine bien avec les perles qui vont chercher ses teintes de rose, de vert ou de bleu.

7 Les coquillages qui scintillent avec des teintes crémeuses sont parfaits pour les ensembles de mariages ou lorsque vous voulez une apparence neutre qui ira avec presque tout.

8 L'apparence carapace de tortue de ces médaillons rectangulaires procure une grande élégance. Voyez l'usage que nous en avons fait à la page 153.

9 La coquille d'ormier est un coquillage assez cher, mais sa profondeur remarquable et ses reflets bleu-vert-mauve valent sûrement le coup.

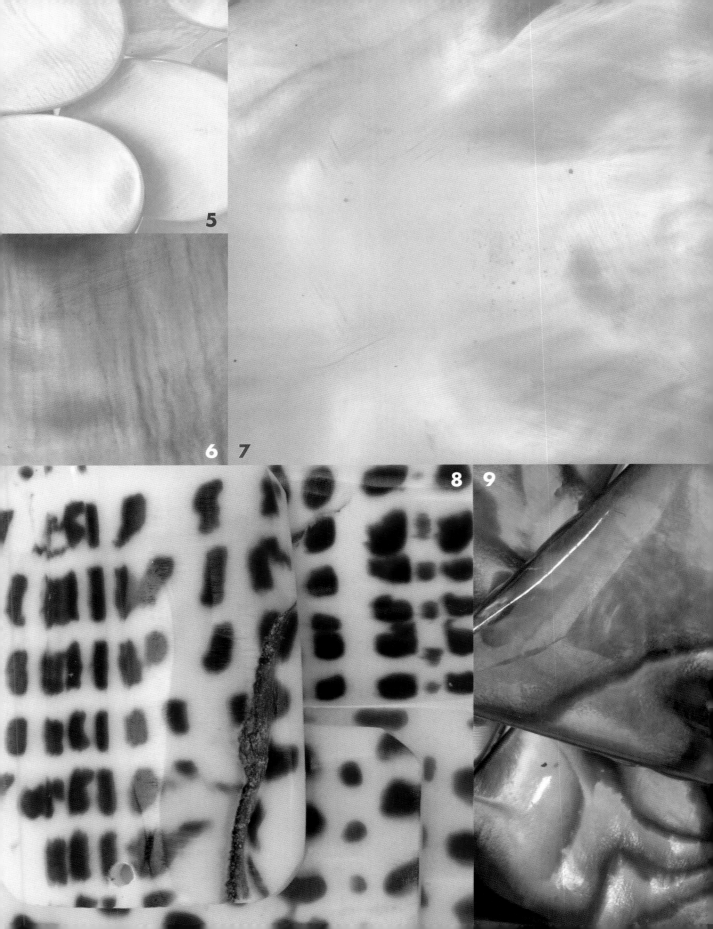

perle

Il fut un temps où chaque femme ou riche jeune fille avait au moins un collier de perles et des boucles d'oreilles assorties. De nos jours, que ce soit des perles d'eau douce, de culture ou même de fausses perles, vous n'avez plus à être riche pour les avoir. Choisissez les tons crème traditionnels pour une apparence cultivée ou optez pour des couleurs éclatantes ou farfelues pour une allure contemporaine.

1 La plupart des fausses perles ont la luminescence des perles véritables mais les couleurs sont souvent encore plus vibrantes.

2 Les perles métalliques conviennent bien à l'humeur vamp.

3 Ces petites perles patates grisâtres iront avec presque tout et avec n'importe quoi.

4 Choisissez de fausses perles pour les apparier avec votre ensemble et souvenez-vous de les combiner avec d'autres types de perles pour un bon effet.

5 Cette couleur inhabituelle ne prétend aucunement être celle de perles naturelles mais les perles sont si flatteuses qu'on ne s'en préoccupe pas.

6 Ces perles patate de riche couleur crème ressemblent à la perle naturelle mais ne coûtent qu'une fraction du prix.

7 Les perles d'eau douce sont disponibles dans une gamme de teintes naturelles et ont des formes irrégulières plaisantes. Elles ajoutent une apparence traditionnelle et dispendieuse à tout bijou.

8 Ces grosses perles patates réalistes créent une apparence classique.

9 Ces perles roses sauront réchauffer l'âme.

10 Recherchez ces perles au fini métallique, qui ne coûtent pas cher tout en donnant du style (voir page 141).

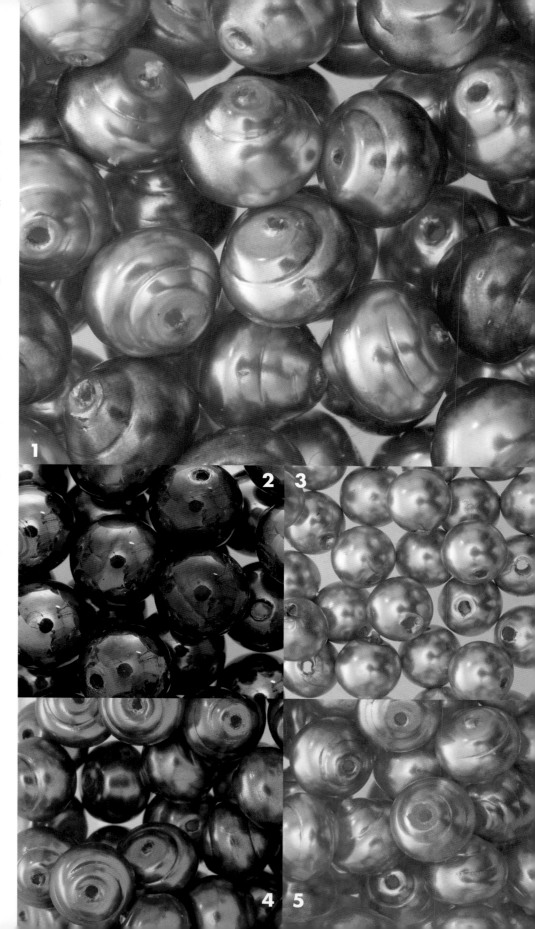

6 7 8 9 10

os et laque

Cette catégorie aurait autrefois englobé des items tels que de l'ivoire mais comme pour les perles, elle a plus de chance de comprendre une grande sélection de sosies.

1 Ces larges rondelles ou beignes paraissent bien dans les modèles avec de grosses perles.

2 Le design africain de ces tubes va bien avec les bijoux de style ethnique.

3 Ces perles de laque sculptées ont une apparence apparentée à l'Extrême-Orient. Elles transformeront assurément un modèle en un sujet de discussion.

4 Ces perles bicolores ajoutent des motifs à vos modèles d'une façon assez subtile.

5 Tout comme les perles au n° 4, ces perles-ci ont une apparence naturelle qui convient bien à différents styles.

6 Cette grosse perle plate ferait un excellent médaillon pour un modèle à la chinoise.

7 Ces gros ovales plats combinent plusieurs couleurs, ce qui les rend assez versatiles.

8 Ces perles rondes et plates en forme de fleurs sculptées font penser à celles que nous voyons dans les manoirs Tudor et procurent un sentiment de nostalgie.

9 Ces tubes sculptés ressemblent à de l'ivoire, mais ne le sont pas. Leur couleur crème les rend très utiles.

10 On dirait que ces tubes sont faits de bois, mais leur texture se rapproche davantage de celle des os. Comme toutes les perles de cette catégorie, elles sont versatiles et seyantes.

céramique, porcelaine et émail

Si vous voulez ajouter des couleurs vives à vos bijoux, pensez à utiliser des perles en porcelaine ou en émail qui, comme les perles en os, ont souvent une apparence orientale. Ces perles peuvent quelquefois être assez lourdes. C'est donc une bonne idée de les prendre dans la main avant de faire une sélection.

1 Ces perles rondes ressemblent à la porcelaine traditionnelle bleue et blanche. Plusieurs motifs sont disponibles, et ils peuvent être combinés avec succès.

2 Les étoiles en émail bleu égayent les boucles d'oreilles et les bracelets.

3 Ces adorables perles à dorure semblent peintes à la main.

4 Vous trouverez du rouge et du vert dans plusieurs perles de porcelaine bleue et blanche, vous offrant l'occasion d'ajouter plus de couleur.

5 Une riche couleur tachetée et une forme cubique inhabituelle font ressortir ces perles du lot.

6 Des perles plates et rondes en émail dans une combinaison sensationnelle de rouge orangé et de turquoise. Elles sont légères et versatiles.

7 Ces petites perles lustrées ont plusieurs utilités.

8 Certains des adorables effets lustrés que l'on retrouve dans la poterie à grande échelle peuvent être reproduits avec ces perles. Ces dernières sont particulièrement seyantes.

9 Une version plate et rectangulaire au n° 2.

10 Ces perles aux simples motifs alvéolés renferment des possibilités illimitées.

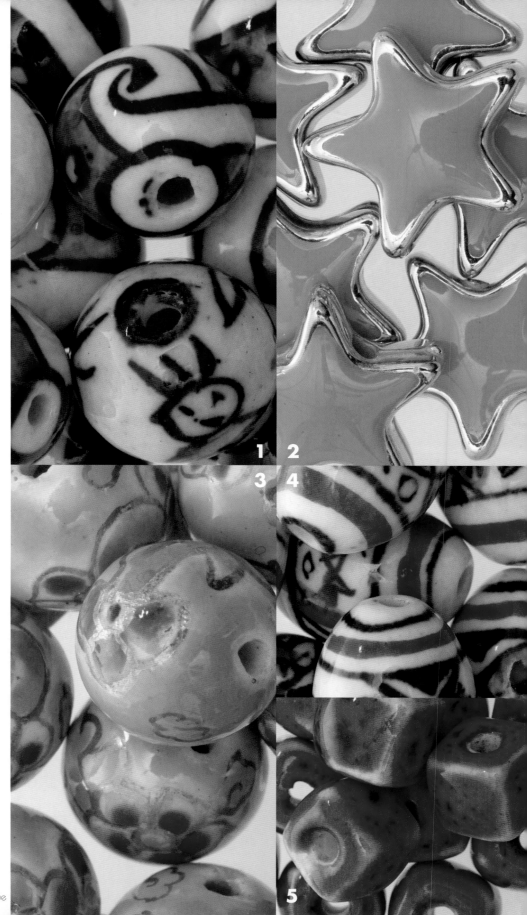

pierres précieuses et semi-précieuses

Les pierres précieuses et semi-précieuses sont les plus chères sur le marché des perles, et vous vous sentirez peut-être prêts à les utiliser dès que vous aurez une certaine expérience dans la confection de bijoux. Ces pierres vous permettront sans doute de créer des modèles sensationnels.

1 Les fragments de pierre, comme ces cornalines, peuvent être étonnamment économiques tout en ajoutant une apparence de designer à votre travail.

2 On dit de l'aigue-marine qu'elle agit favorablement sur la tête, le corps et l'esprit. Elle est aussi très jolie.

3 L'adorable vert tacheté de la malachite va bien avec plusieurs autres pierres. Elle est similaire au jaspe et au jade.

4 Le grenat est souvent utilisé par les joailliers professionnels au lieu du rubis qui est beaucoup plus cher.

5 La turquoise est disponible en plusieurs variations passant du vert au bleu. Ces fragments sont à l'extrémité la plus pâle de l'échelle.

6 D'autres turquoises, cette fois dans la couleur médiane qui est la plus associée avec cette pierre. Ces perles ont probablement été teintes, un processus commun visant à stabiliser la pierre.

7 Le corail provient de squelettes calcaires de minuscules créatures marines. Les perles peuvent être dans les différents tons de rose, de pêche et de rouges profonds, ce qui fait qu'elles constituent une acquisition extrêmement désirable (bien que les coraux soient menacés).

fournitures et pièces à enfiler

Les fournitures, comme les fermoirs, les épingles, les bélières et les montures de boucles d'oreilles, comprennent toutes les composantes utilisées dans la confection de bijoux, à l'exception des perles. Également connues sous le nom d'attaches, de composantes et de raccords, ces petites pièces peuvent être aussi importantes que les perles au niveau de la conception. Il est facile de penser que vous pourriez économiser sur ces éléments, mais des fournitures bon marché peuvent dévaluer un modèle, tandis que les meilleures fournitures peuvent hausser la valeur d'un modèle à des niveaux exceptionnels. Elles peuvent également changer l'aspect général d'un modèle. Par exemple, un fermoir peut richement orner un modèle ou lui donner un aspect simple, comme il peut aussi le faire paraître ancien ou moderne.

les épingles, les bélières et les séparateurs

1 Les séparateurs sont de petites perles utilisées pour accentuer un design et aussi pour séparer de plus grosses perles. Ce sont souvent des perles en forme de graine ou des perles métalliques, comme ces pièces en forme de marguerite.

2 Les épingles à tête ressemblent aux longues épingles de couturière et sont disponibles dans différentes longueurs et divers diamètres. Lorsque vous enfilez les perles, la tête de l'épingle les empêche de tomber. On les utilise principalement pour confectionner les boucles d'oreilles et les pendentifs.

3 Les bélières sont de petits anneaux ovales ou ronds qui servent à relier les breloques ou les pendentifs sur une chaîne. Elles ne sont habituellement pas soudées fermement ce qui fait qu'elles sont faciles à ouvrir. Sachez qu'elles peuvent aussi s'ouvrir quand vous les portez.

4 Les clous de jonction sont similaires aux épingles à tête mais ils se terminent par une boucle au lieu d'une tête. Elles sont utilisées dans les modèles similaires aux chapelets et pour les plus longues boucles d'oreilles comportant de multiples perles.

5 Les bagues ou perles d'arrêt sont utilisées pour bien attacher le fil à perler au fermoir ou à un autre item. Choisissez une taille qui convient à l'épaisseur du fil.

6 De longues épingles à tête en argent avec une extrémité décorative.

7 Les caches-nœuds peuvent être utilisés pour recouvrir le nœud qui relie un fil à un fermoir.

8 Les perles d'extrémité ou de style capuchon sont des ornements de métal, quelquefois filigranés, qui sont utilisées à chaque extrémité d'une perle de verre ou de pierre pour l'accentuer. Elles peuvent aussi être utilisées pour recouvrir des rugosités ou des zones endommagées par le trou qui a été percé.

9 De plus grosses bagues ou perles d'arrêts de couleur or.

10 De petites bagues ou perles d'arrêt couleur argentée.

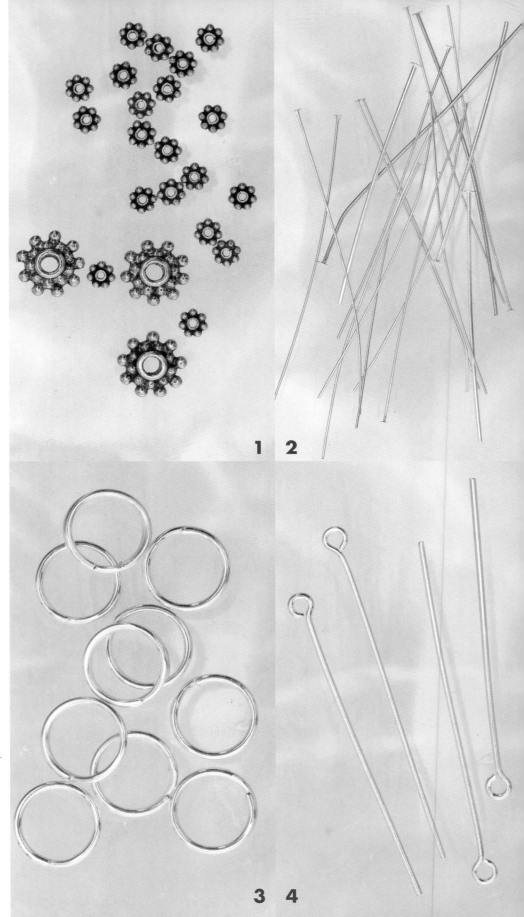

1 2

3 4

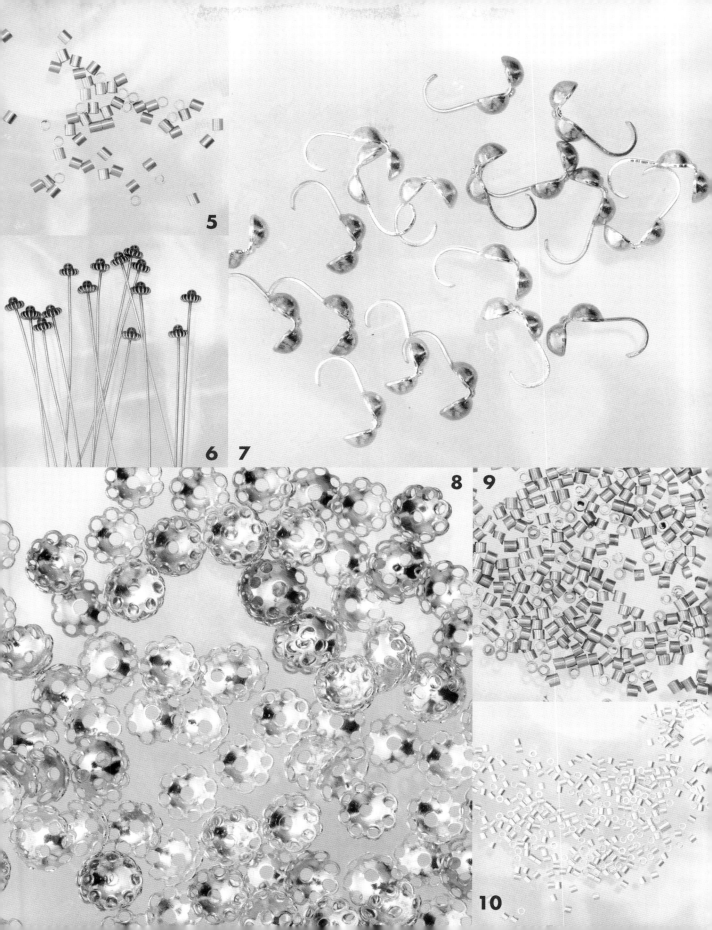

5

6 7

8 9

10

fermoirs et montures de boucles d'oreilles

1 Des fermoirs en forme de cœur, idéals pour des bracelets à breloques.

2 Le fermoir en forme de « S » est simple mais efficace. J'aime bien me servir de ce fermoir quand je conçois un modèle avec une chaîne à gros maillons. Vous pouvez l'attacher à tous les maillons, ce qui vous donne un collier ajustable en longueur.

3 Un fermoir simple en forme de « S ».

4 Un adorable fermoir à chaînette en argent. Les fermoirs à ressort et les fermoirs en pinces de homard peuvent être attachés à tous les maillons d'une chaîne, ce qui fait que sa longueur peut être facilement ajustable.

5 Un gros crochet couleur or et un fermoir avec un œillet.

6 Un fermoir à boîte filigranée populaire avec des classiques comme les perles. Un petit crochet, attaché à une extrémité du fil, glisse dans la boîte et est maintenu en place grâce à la tension.

7 Des lacets de cuir peuvent être utilisés pour compléter les fils. Pressez simplement la portion qui se ferme autour de l'extrémité du fil et insérez l'œillet à un fermoir pour une jolie finition.

8 Les séparateurs peuvent attacher plus d'un fil dans un modèle possédant plusieurs rangs. Utilisez-les avant d'installer un fermoir ou à mi-chemin dans un bracelet ou un collier.

9 Gros fermoirs en forme de barils de couleur or. Ces derniers sont composés de deux éléments qui se vissent ensemble et qui ont peu de chance de se défaire accidentellement.

10 Sélection de montures de boucles d'oreilles.

11 Les fermoirs à barrette sont parfaits pour les bracelets car il est possible de les attacher avec une seule main. Faites simplement glisser la barrette dans l'anneau ovale ou rond et le tour est joué.

12 De gros anneaux. Certains sont vendus avec une monture de boucles d'oreilles incluse.

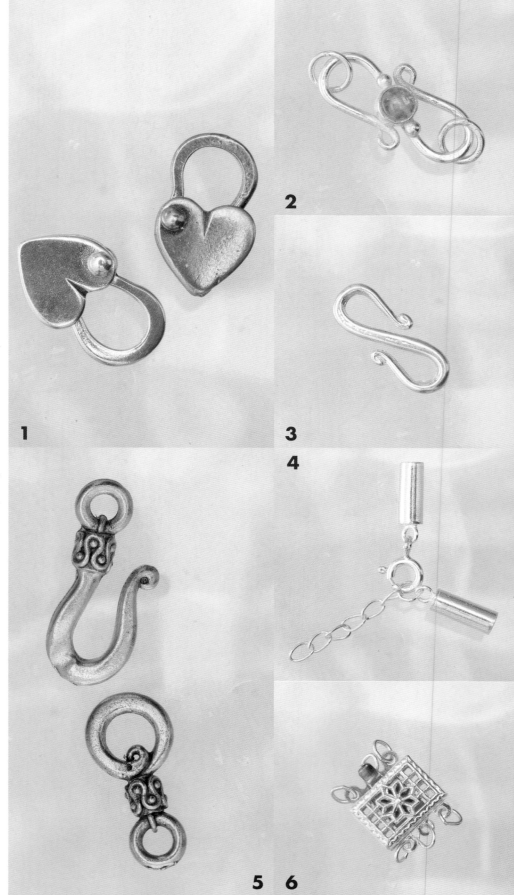

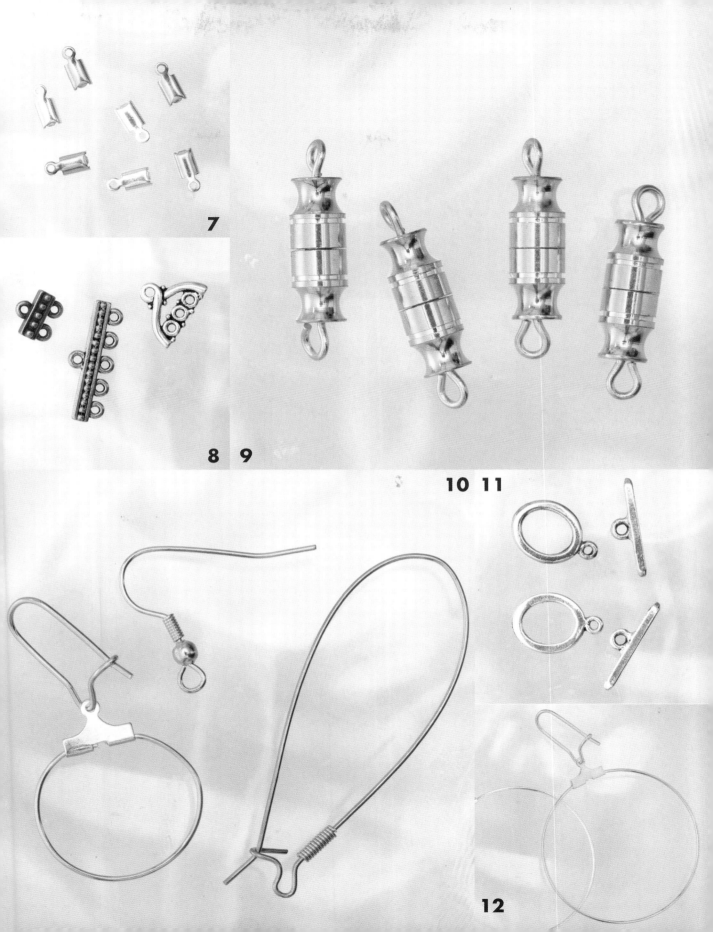

7

8 9

10 11

12

les différentes sortes de fil

1 Le fil non extensible est un fil solide et fin qui est disponible en une dizaine de couleurs.

2 Le fil de soie épais est solide et légèrement extensible. Il convient pour des perles de taille moyenne qui ont d'assez gros trous.

3 Le fil de soie fin est idéal pour les perles et les pierres semi-précieuses. Deux longueurs de fil devraient passer confortablement dans la perle sans être lâches.

4 Une variation du n° 1. Ce fil convient bien pour tous les types de petites perles.

5 Le fil élastique est idéal pour les bracelets rapides ou pour les enfants et les adolescents. Il n'est pas nécessaire d'ajouter un fermoir. Enfilez simplement les perles, faites un bon nœud dans l'élastique, coupez les extrémités et voilà, c'est prêt-à-porter.

6 Le fil à perler Silver Soft Flex est disponible en plusieurs épaisseurs. Choisissez des perles assorties pour les harmoniser.

7 Le fil à perler de couleur or est idéal pour les modèles où l'on verra peut-être le fil. Assurez-vous de choisir des fournitures dorées pour les harmoniser.

8 Du fil est nécessaire pour les enroulements avec fil. Cette version est particulièrement fine.

9 Ce fil de soie est vendu entouré sur un carton avec une aiguille ou avec une extrémité durcie pour faciliter l'enfilement.

10 Le fil français est disponible en couleur or et argenté et en plusieurs épaisseurs. Il est fait de fil enroulé et est très délicat. Insérez votre fil dans un petit morceau de fil français pour le protéger au niveau du fermoir (voir pages 70 à 73).

1 2

3 4

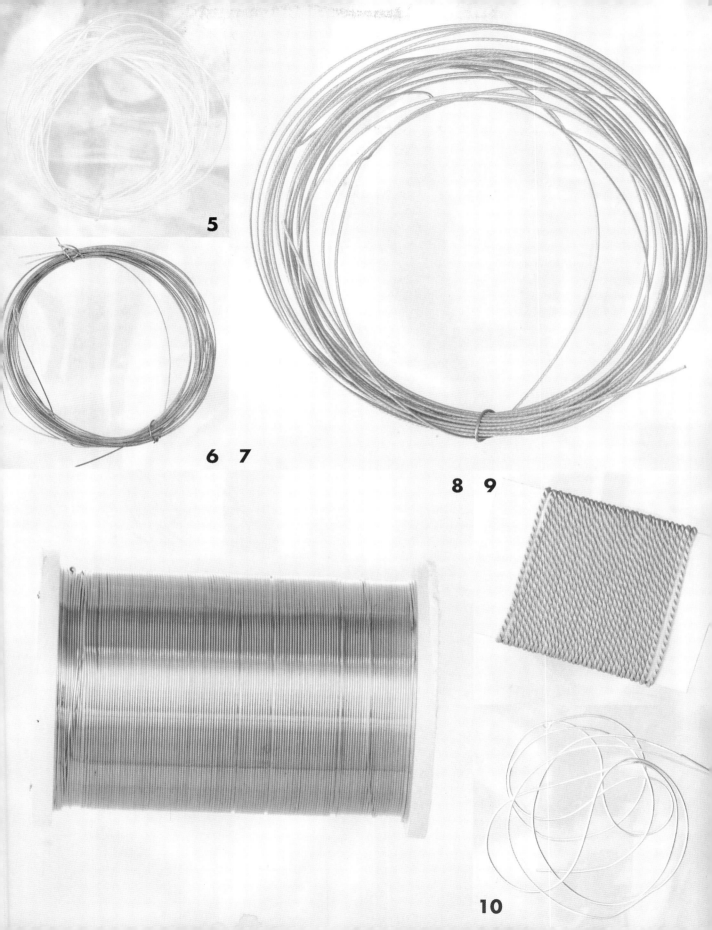

5

6 7

8 9

10

cordes
et lacets

Les lacets et les cordes sont excellents pour les projets rapides et faciles qui nécessitent de grosses perles. Ils offrent un aspect décontracté.

1 Les lacets de cuir sont disponibles en plusieurs épaisseurs et couleurs incluant les teintes naturelles. Ils sont idéals pour les modèles modernes où le lacet représente une caractéristique du design.

2 Les lacets de suède, plus doux, peuvent être utilisés de la même façon que les lacets de cuir.

3 Les cordes de tissu sont une alternative funky aux lacets de cuir ou de suède.

4 Les larges lacets de cuir ne conviennent seulement que pour les très grosses perles ou les médaillons avec de gros trous ou œillets.

5 Pour économiser du temps et de l'argent, vous pouvez vous procurer des lacets comportant déjà un fermoir. Tout ce que vous avez à faire est de glisser un médaillon ou une grosse perle.

6 Le raphia peut aussi être utilisé pour faire des bijoux perlés.

7 Les fils métalliques sont largement disponibles et conviennent bien pour les bijoux de soirée.

8 D'autres exemples au n° 3. Si vous ne pouvez pas trouver la couleur que vous voulez, peut-être serez-vous en mesure de teindre une longueur de corde pour harmoniser vos perles.

9 Les cordes sont disponibles en une variété d'épaisseurs. Assurez-vous que vos perles pourront passer avant d'acheter.

1 **2**

3 **4**

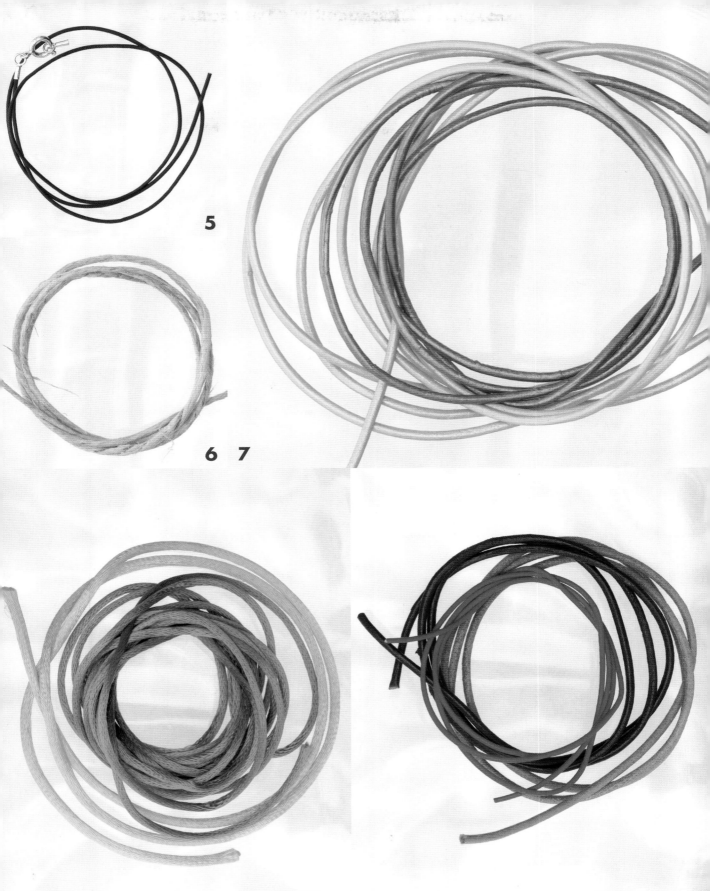

5

6 7

8 9

les chaînes et les fils

Les chaînes et les fils colorés ou de bonne épaisseur sont des caractéristiques du design. Vous trouverez dans ce livre quelques modèles qui les utilisent.

1 Les chaînes habituelles de couleur or sont disponibles en plusieurs épaisseurs et rangs. Assurez-vous que le poids de la chaîne convienne à votre projet.

2 Les chaînes très fines en or sont idéales pour les boucles d'oreilles à pendentif ou du style chandelier.

3 Les chaînes à maillons ovales comme celle-ci sont peu dispendieuses. Elles peuvent servir de base à un bracelet ou à un collier à breloques.

4 Une fine chaîne en argent qui convient bien pour les boucles d'oreilles ou les colliers et bracelets délicats.

5 Un fil de métal couleur argentée comme celui-ci est idéal pour les attaches avec du fil.

6 Le fil en forme de spirale est disponible dans des longueurs qui conviennent pour les bracelets ou colliers. Retirer simplement la boule à une extrémité et faites glisser vos perles (voir pages 166 et 167).

7 Une chaîne moulante de couleur argentée avec un fermoir inclus. Ajoutez seulement des perles ou un médaillon.

8 Des échantillons de fils de métal funky sont idéals pour l'expérimentation et la découverte.

9 Certaines chaînes sont disponibles en d'autres couleurs que les couleurs or et argenté, comme ce métal noir.

10 Fil en forme de spirale pour un collier (voir au n° 6).

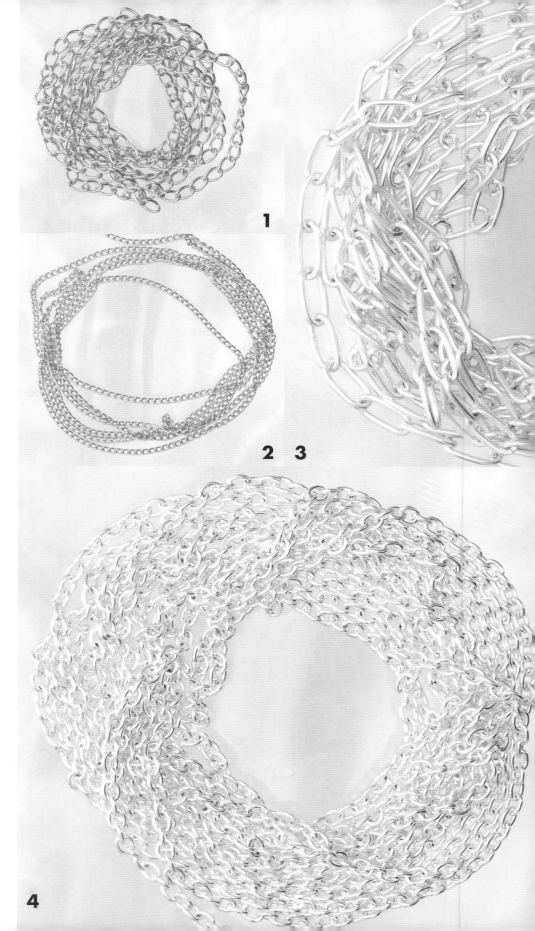

1

2 **3**

4

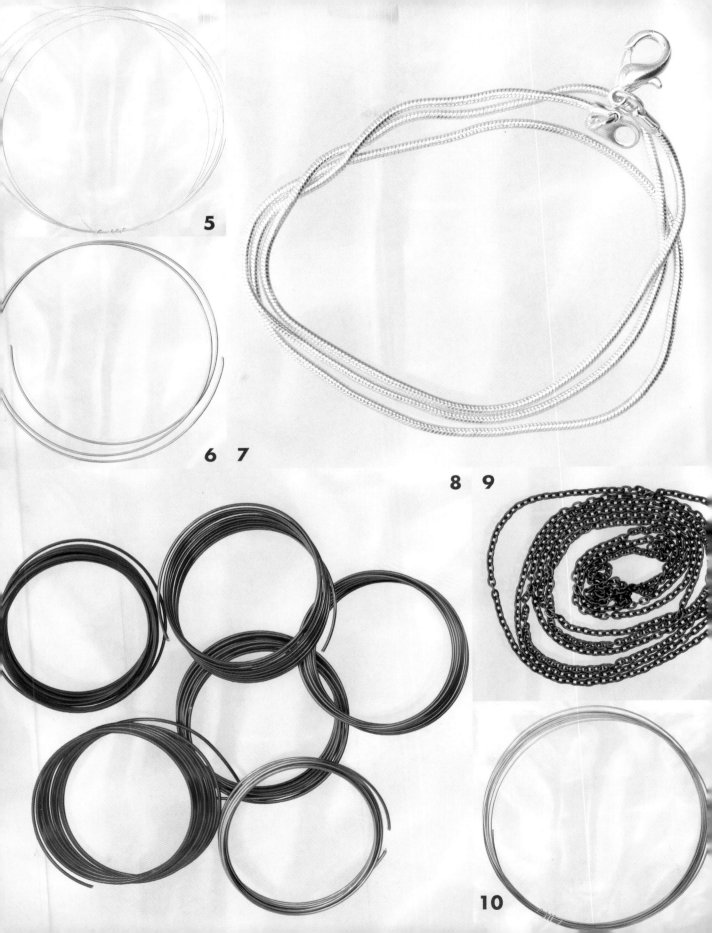

5

6 7

8 9

10

outils

Les outils que vous utiliserez sont une question de préférence personnelle, comme pour tout ce qui concerne la confection de bijoux. La façon de travailler qu'on vous aura enseignée en premier et la personne qui vous aura montré comment faire pourront avoir une influence sur votre choix d'outils, tout comme le fait d'être droitier ou gaucher pourra déterminer avec quels outils vous vous sentirez le plus confortable. Peu importe votre préférence, les outils ne manquent pas et on en trouve à tous les prix. Il existe maintenant des outils ergonomiques conçus de façon à éviter les blessures au canal carpien qui peuvent survenir lors de mouvements répétés. Les pages qui suivent vous présente certains des outils les plus fréquemment utilisés disponibles sur le marché.

pinces

Ne pensez pas que vous pourrez vous en tirer avec les pinces et les tenailles de la re-
mise. Vous ne le pourrez pas.
Vous devez utiliser des pinces
d'artisanat pour créer de belles boucles, et elles n'ont
pas à vous coûter les yeux
de la tête.

1 Les pinces à bec rond à
trois étapes sont conçues pour
vous aider à réaliser la même
boucle encore et encore, mais
la section plate peut en rendre
l'utilisation malaisée.

2 Les pinces longues à bec
rond sont nécessaires pour
recourber le fil. Ce sont des
pinces essentielles.

3 Les pinces à bec pointu ont
de longues extrémités qui sont
plates à l'intérieur et se terminent en pointe. Utilisez-les pour
agripper le fil et fermer les perles à écraser. Si vous avez une
paire de pinces comme celle-
ci et une pince à bec rond,
vous avez en main les outils
de base pour travailler.

4 Ces pinces sont conçues
spécifiquement pour les perles
d'arrêt et font un très bon travail. La section intérieure divise
la perle d'arrêt en deux pour
attacher le fil fermement des
deux côtés.

5 Les pinces à bec plat sont
utiles pour attraper et tirer sur
le fil.

6 Les pinces à bec de plastique sont pratiques pour les
projets délicats mais le bec
de ces pinces est plutôt épais.

7 Grosses pinces à bec plat.
Choisissez une taille qui
vous convienne. L'idéal est
d'essayer quelques paires
avant d'en acheter.

8 Les pinces coupantes sont
nécessaires pour couper le fil
à perler. Choisissez une paire
comme celle-ci avec de petits
bouts qui peuvent rejoindre directement les perles à écraser.

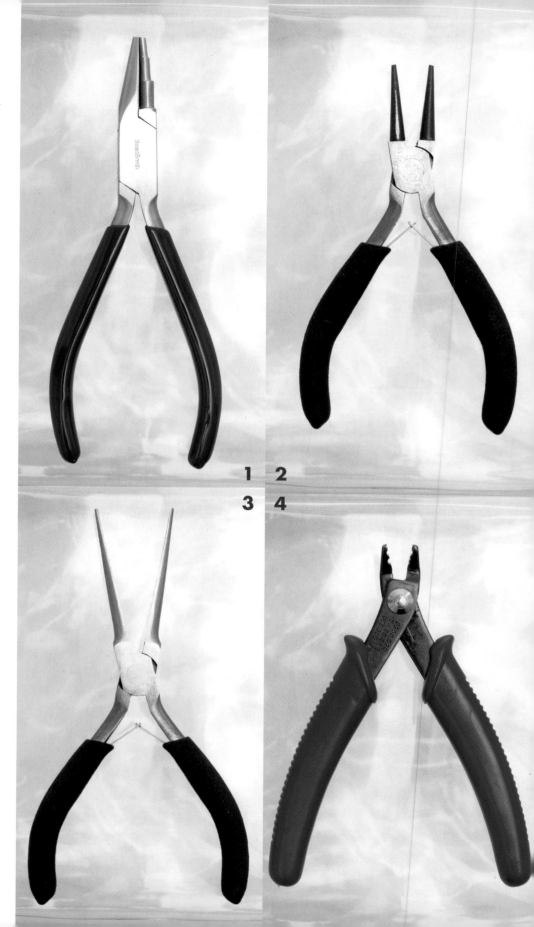

1 2

3 4

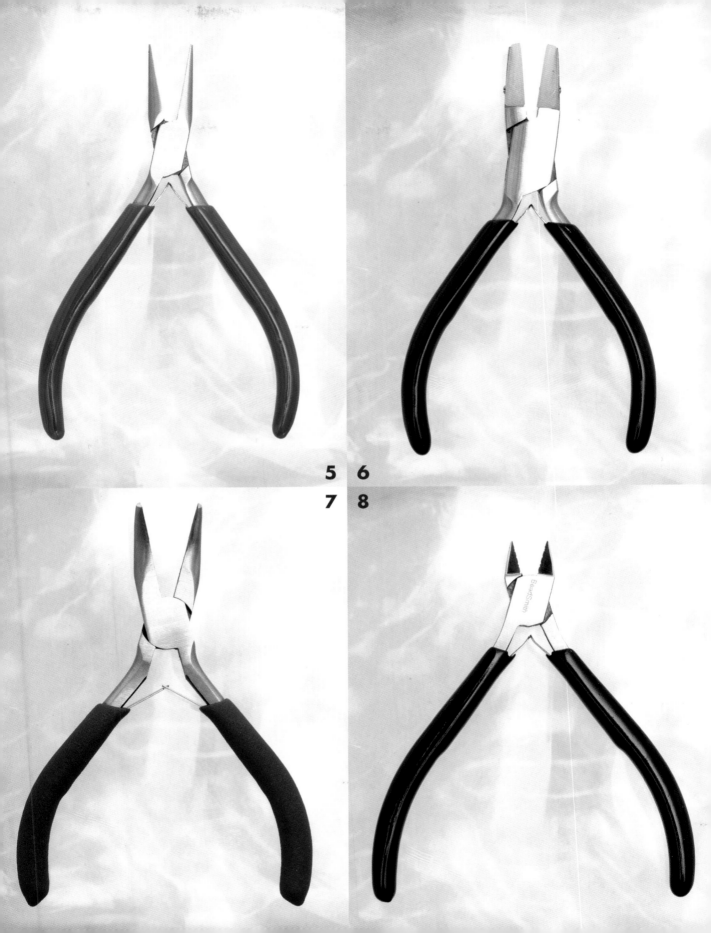

5 6
7 8

autres outils

Voici quelques articles supplémentaires dont vous aurez
peut-être besoin pour vos projets de fabrication de bijoux.
Vous en aurez pas besoin de
tous en même temps et peut-
être n'utiliserez-vous jamais
quelques-uns d'entre eux, alors
ne les achetez qu'en cas
de nécessité.

1 Cette pince coupe-fil est un
outil très utile pour couper le fil
tout près d'un nœud ou d'une
perle écrasée.

2 Les précelles fines sont requises pour réaliser les nœuds
(voir pages 70 à 73) et sont
pratiques pour ramasser de petites perles ou stabiliser un fil
pendant que la colle sèche.

3 Un poinçon permet d'agran-
dir un trou déjà percé dans
une perle pour y accueillir
le fil que vous aurez choisi.

4 Les épingles pour perler sont
longues, étroites et flexibles.
Choisissez-en qui ont un chas
suffisamment large pour laisser
passer votre fil.

5 Ce coupe-fil peut être accro-
ché à une corde et pendre à
votre cou, ce qui le rend facile
à trouver quand vous en avez
besoin.

6 La cire d'abeille renforce
le fil et le rend plus facile à
utiliser. Elle est optionnelle.

7 Les colles sont utilisées pour
solidifier les nœuds. Une bou-
teille au long bec vous permet
de rejoindre plus facilement
les endroits difficiles d'accès.

8 Un ruban à mesurer est
nécessaire pour vous assurer
que les bracelets et les colliers
seront de la bonne longueur.

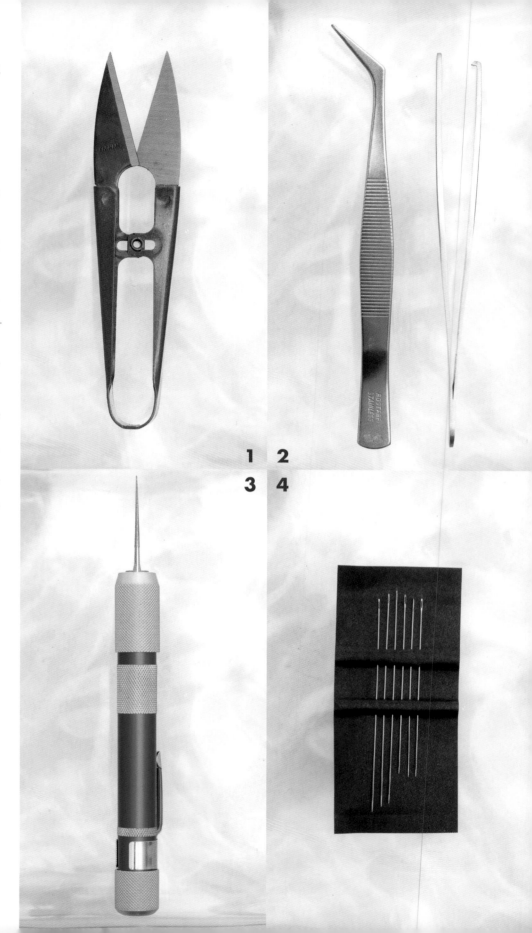

1   2

3   4

5 6
7 8

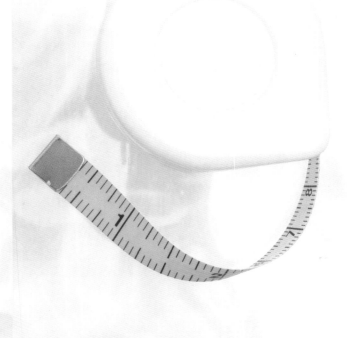

préparer votre espace de travail

La plupart d'entre nous confectionneront nos premiers bijoux sur le coin de la table de cuisine. Si vous n'en avez pas, vous ferez peut-être comme moi et les ferez sur votre lit! Cependant, vous préparer du mieux que vous pouvez est la chose sensée à faire. Cela vous aidera à éviter de perdre des perles, vous rendra le travail plus facile et vous permettra d'éviter du stress et des tensions.

Commencez par vous munir d'une chaise confortable et d'une surface de travail plane qui fera en sorte que vous serez assis bien droit. Il est recommandé de placer votre matériel sur un napperon afin que les perles ne roulent pas dans toutes les directions. Je travaille parfois avec mes perles dans des assiettes pour les contenir.

Les **planches** pour perles contrôlent les perles tout en vous aidant avec le design et l'enfilement. Les rainures courbées de la planche vous permettent de disposer les perles de la même façon qu'elles apparaîtraient autour de votre cou. Vous pouvez les déplacer jusqu'à ce que vous soyez satis-

faits du résultat. La planche pour perles possède aussi une échelle graduée qui vous permet de savoir rapidement si votre collier ou bracelet est de la bonne longueur avant de commencer l'enfilement. La plupart des planches pour perles ont aussi des compartiments pour retenir et classer les perles pendant que vous concevez votre modèle. Il y a plusieurs types de planches disponibles. Certaines planches abordables et fonctionnelles sont faites de plastique moulé. Les meilleures ont une surface duveteuse ajoutée sur le plastique, ce qui aide à maintenir les perles en place.

Un **éclairage** approprié est très important si vous voulez être en mesure de bien voir le matériel avec lequel vous travaillez. Si vous le pouvez, travaillez près d'une fenêtre le jour. La lumière du soleil est toujours la meilleure. Vous pouvez aussi utiliser un éclairage régulier de plafonniers. Si vous remarquez que vous vous penchez trop pour mieux voir, munissez-vous d'une lampe de table et disposez-la sur votre surface de travail.

L'entreposage des perles et leur organisation peuvent être rendus faciles avec les bons contenants à perles. Un bon contenant à perles est transparent pour vous permettre de voir ce qu'il y a à l'intérieur sans avoir à l'ouvrir. Les boîtes qui s'empilent sont d'excellents économiseurs d'espace. Les petits sacs de plastique ont toujours bien fonctionné pour moi, et je tente habituellement d'inscrire quelque part où j'ai acheté les perles et combien elles m'ont coûté. Cela sera utile plus tard quand viendra le temps de fixer un prix pour le bijou ou si j'ai besoin de commander de nouvelles perles.

espaces pour contenir les perles

Des assiettes et des bols (gauche) sont excellents pour contenir vos perles pendant que vous travaillez, car cela les empêche de rouler partout. Pour le long terme, rangez-les dans des sacs de plastique pour sandwichs ou dans des contenants en plastique transparent.

planche pour perles

Une planche pour perles (droite) empêche les perles de rouler, et vous permet de voir comment un collier progresse et même de le mesurer pendant que vous travaillez.

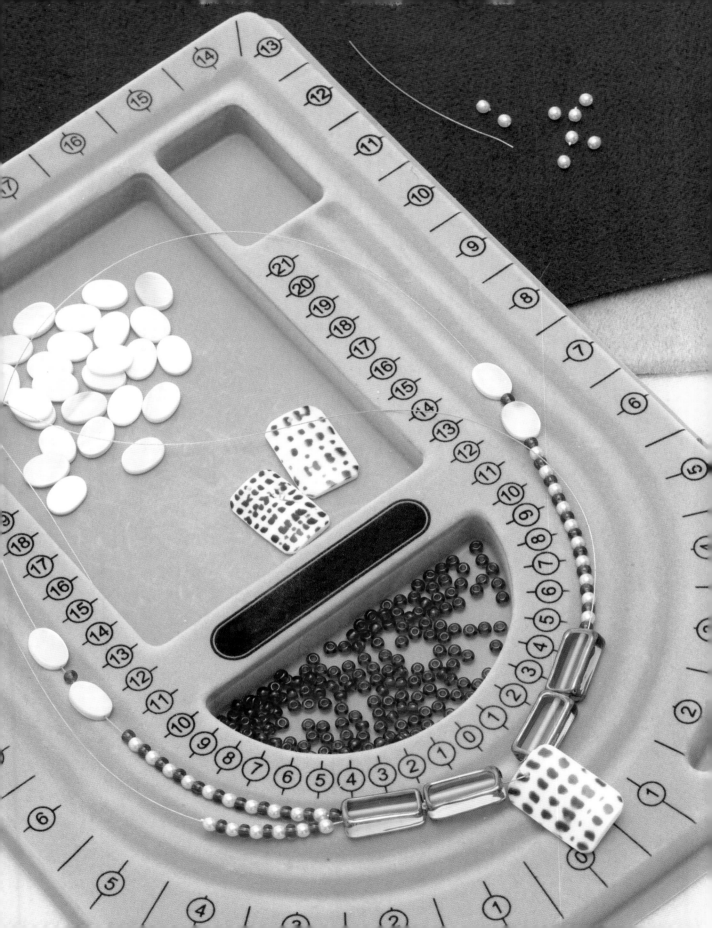

techniques de base

enfilement et sertissage

L'enfilement des perles et l'installation de fermoirs sont des techniques essentielles pour la plupart des travaux de fabrication de bijoux perlés. Vous pouvez utiliser des pinces conçues expressément pour le sertissage ou utiliser des pinces à bec effilé, qui conviendront aussi pour le travail à faire.

vous aurez besoin de ceci :

outils

Pince à sertir ou pince à bec effilé

Pince coupante

matériel

Perles choisies pour votre projet

Fil à perler comme du Soft Flex d'un calibre qui convient à vos perles

Ruban adhésif transparent

Deux perles d'arrêt d'une taille qui conviennent à votre fil à perler et d'une couleur qui s'harmonise avec votre fermoir

Un fermoir de votre choix

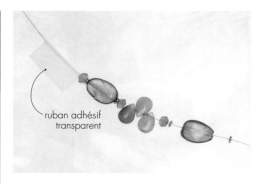

ruban adhésif transparent

1 Pliez un bout de ruban sur votre fil à perler à au moins 5 cm (2 pouces) de l'extrémité pour éviter que vos perles tombent. Enfilez vos perles. Lorsque vous calculez la longueur que vous désirez, tenez compte de la longueur de votre fermoir. Vous ne voudriez pas qu'un bracelet soit trop grand et tombe du poignet.

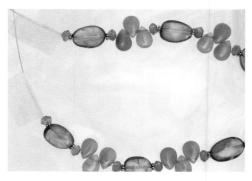

2 Lorsque vous êtes satisfait(e) de la disposition de vos perles et de la longueur de votre enfilement, pliez un deuxième bout de ruban sur le fil à perler, tel qu'illustré. Ne soulevez jamais l'enfilement de perles avant que les deux extrémités soient bloquées.

perle d'arrêt

3 Retirez le ruban à l'une des extrémités et installez une perle d'arrêt. Glissez-la en direction des autres perles.

4 Glissez maintenant le fil à perler à travers l'anneau du fermoir. (Votre fermoir peut être bien différent de celui qui est illustré, mais il comportera quelque part un anneau ou un œillet en pour y attacher le fil.)

conseil

Pour plus de sécurité lors du sertissage, passez le fil à travers le fermoir, et de nouveau dans la perle d'arrêt et encore plus loin dans deux ou trois perles déjà enfilées. Écrasez la perle comme d'habitude et coupez l'extrémité du fil. Reculez maintenant la dernière perle légèrement, ajoutez de la colle à perles et repoussez la dernière perle en direction du fermoir. Votre fil est maintenant serti et collé et ne bougera pas.

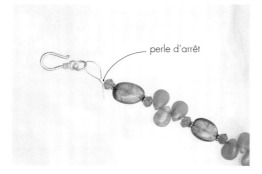

perle d'arrêt

5 Recourbez maintenant le fil et glissez-le dans la perle d'arrêt, tel qu'illustré. Quand vous débuterez, peut-être trouverez-vous cela plus facile à faire si vous avez plus de fil pour travailler. Quand vous serez plus expérimenté(e), vous serez moins généreux(se) avec le fil.

6 Poussez la perle d'arrêt près de la dernière perle et tirez une extrémité du fil, rapprochant autant que possible le fermoir de la perle d'arrêt. Assurez-vous qu'il n'y a pas d'écart entre les perles à cette étape, spécialement quand vous ajoutez la deuxième partie du fermoir.

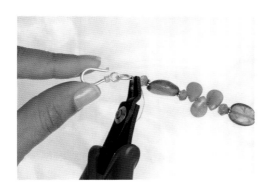

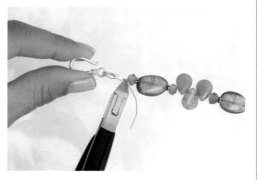

7 Assurez-vous que le fermoir et les perles sont toujours bien rapprochés, et écrasez la perle d'arrêt fermement avec les pinces à sertir (tel qu'illustré) ou avec les pinces à bec effilé. Cela maintient le fil à perler en place et attache le fermoir de façon définitive.

8 Utilisez la pince coupante pour couper le fil à perler excédentaire aussi près que possible de la perle d'arrêt, tel qu'illustré. Les pinces coupantes pour confectionner des bijoux ont de petites lames de forme spéciale, qui rendent le processus plus facile. Répétez les étapes 3 à 7 pour attacher l'autre côté du fermoir à l'autre extrémité du fil perlé.

faire un nœud dans le fil

Un fil noué, dans lequel il y a un petit nœud entre chaque perle, est pratique en plus d'être élégant. Les nœuds forment un « coussin » entre les perles, les empêchant de se frotter et de s'user, ce qui est important lorsqu'on utilise des perles de valeur ou des perles molles, comme des perles, des péridots ou des aigues-marines.

VOUS AUREZ besoin de ceci :

outils

Aiguille à enfiler
Précelles
Pince coupe-fil
ou ciseaux
Colle pour perles

matériel

Perles choisies pour votre projet
Fil de soie ou mélange de fil pour harmoniser la couleur prédominante de vos perles, suffisamment fin pour que deux fils puissent passer à travers les perles
Fil français suffisamment gros pour contenir deux épaisseurs de fil dans une couleur qui s'harmonise avec le fermoir choisi
Un fermoir de votre choix

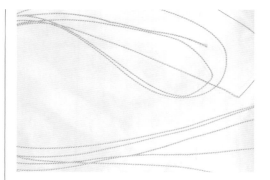

1 Coupez votre fil de telle sorte que sa longueur soit de 5 à 6 fois celle de votre fil une fois perlé. Pour un bracelet de 18 cm (7 pouces), vous aurez besoin d'un fil de soie de 1 m (une verge). Pour un collier de 36 cm (14 pouces), vous aurez besoin de 2 m (2 verges) de fil.

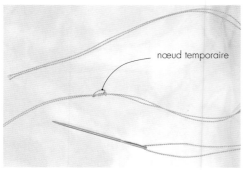

nœud temporaire

2 Préparez votre aiguille et pliez le fil en deux de façon à créer un double fil. Attachez les deux fils ensemble sans serrer à environ 15 cm (6 pouces) de la fin pour empêcher les perles de tomber. Vous pourriez aussi utiliser un fermoir alligator qui est facile à retirer plus tard quand vous serez rendu(e) à l'étape du fermoir.

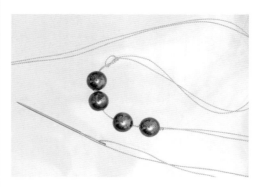

3 Enfilez les quatre premières perles sans faire de nœuds entre elles. Les nœuds entre ces perles seront ajoutés plus tard, lorsque le fermoir aura été attaché (voir étapes 11 et 12).

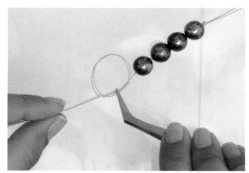

4 Créez un nœud lâche par le haut dans le fil en faisant une boucle et en passant l'aiguille à travers. Déplacez le nœud avec les précelles jusqu'à ce qu'il soit près de la quatrième perles, tel qu'illustré.

Il n'y a malheureusement pas de règle à suivre concernant la taille du fil de soie requis, puisque la grosseur des trous dans les perles et dans les pierres semi-précieuses varie grande-ment. De plus, les trous ne sont pas toujours cons-tants et peuvent être plus larges sur les côtés qu'au centre de la perle. Vous devrez peut-être acheter du fil de différents cali-bres pour trouver celui qui convient le mieux, et faire quelques ajuste-ments si nécessaire. Par exemple, si les nœuds sont trop petits et entrent dans les trous, tentez de faire des doubles nœuds.

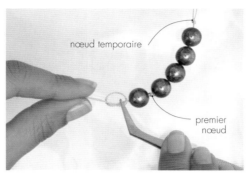

nœud temporaire

premier nœud

5 Resserrez le nœud autour de la pointe de vos précelles, en poussant les parcelles près de la perle. Retirer les précelles. Utilisez-les mainte-nant pour attraper le fil près du nœud et poussez-le doucement mais fermement vers la perle, tel qu'illustré, pour qu'il soit fermement en place.

6 Enfilez la prochaine perle sur le fil et répétez le processus du nœud, en vous assurant que le nœud est bien serré contre la perle des deux côtés. Cela est particulièrement important si vous utilisez du fil de soie qui est extensible.

7 Continuez à enfiler des perles de la même manière, en prenant votre temps et en vous assurant que tous les nœuds sont bien serrés contre les perles. Vous remarquerez que vous devien-drez plus rapide et plus habile avec la pratique. Tra-vaillez jusqu'à ce qu'il ne vous reste que les quatre dernières perles à enfiler.

8 Enfilez les quatre dernières perles sur le fil sans faire de nœuds entre elles de la même manière qu'au tout début. Vous êtes mainte-nant prêt(e) à ajouter le fermoir.

conseil

Le fil français est utilisé pour empêcher le fermoir de frotter contre le fil et éviter que celui-ci s'effiloche. Il est solide une fois en place, mais délicat quand on le manipule. Si l'épingle et le fil sont trop gros pour passer à l'intérieur, le fil français peut se défaire quand vous serez en train de l'enfiler. Pour cette raison, il est préférable de l'acheter plus gros que plus petit. Si vous êtes dans le doute, achetez toujours le plus gros fil français que vous pouvez trouver.

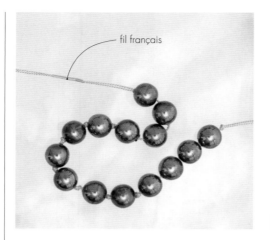

fil français

9 Coupez une longueur de fil français d'environ 12 mm (½ pouce). Ce fil est fait de fil en spirale et est creux. Manipulez-le avec précaution en vous assurant que la spirale ne se déroule pas (voir Conseil, en haut à gauche). Enfilez-le doucement sur votre aiguille et déplacez-le jusqu'à ce qu'il repose contre le côté de la dernière perle.

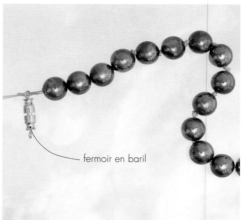

fermoir en baril

10 Glissez maintenant le fermoir sur le fil français, tel qu'illustré. Ce fermoir est un fermoir en baril, mais la technique à utiliser est la même pour tous les types de fermoirs.

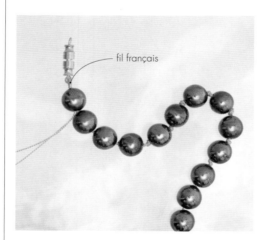

fil français

11 Repassez l'aiguille à travers la dernière perle à l'extrémité du fil. Le fil français pliera en deux. Tirez le fil de façon à ce qu'il ne reste qu'à peine l'espace pour ajouter un nœud entre chacune des quatre perles à la fin du rang. Faites un nœud entre les deux perles de la fin. Cette fois le positionnement du nœud est plus facile à faire parce qu'il y a très peu d'espace entre les perles.

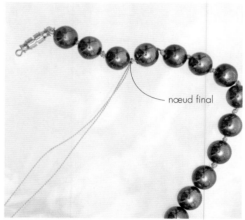

nœud final

12 Passez le fil dans la deuxième perle à partir de la fin et faites un autre nœud, puis repassez-le dans la troisième perle et faites un nœud final à cette extrémité du fil.

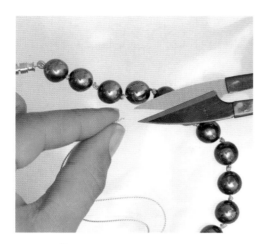

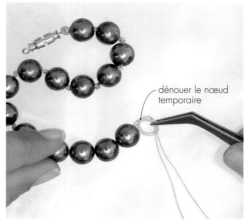

dénouer le nœud temporaire

13 Coupez l'extrémité du fil près des perles (voir Conseil, en haut à droite). Faites cela bien délicatement – vous ne voudriez pas couper la mauvaise partie ! Appliquez une petite goutte de colle entre chacun des nœuds que vous venez de faire et laissez à la colle le soin de sécher naturellement. Cela ajoutera de la résistance supplémentaire.

14 Retirer le nœud temporaire ou le fermoir alligator à l'autre extrémité du fil perlé afin que vous puissiez attacher l'autre partie du fermoir. Il sera peut-être plus facile pour vous de faire cela avec les précelles.

première partie du fermoir

deuxième partie du fermoir

15 Répétez l'étape 9 pour ajouter un morceau de fil français sur le fil. Si vous utilisez un fermoir en baril, tel que nous le faisons ici, séparez les deux parties du fermoir et glissez la partie non utilisée sur le fil français. Avec les autres types de fermoirs, glissez simplement la deuxième partie du fermoir. Reportez-vous à l'étape 11 pour insérer l'aiguille de nouveau dans la première perle et pour faire le nœud entre la première et la deuxième perle.

16 Répétez les étapes 12 et 13 à cette extrémité du fil perlé pour ajouter les nœuds manquants entre les perles. Ceci complète votre collier ou bracelet. Si vous en prenez soin, il sera pour vous un compagnon qui vous suivra toute votre vie. Ne le laissez pas se mouiller, ne le rangez pas en le suspendant et ne l'aspergez pas de parfum lorsque vous le portez, car toutes ces actions pourraient être dommageables pour les perles et le fil.

attacher les séparateurs

Les séparateurs sont utilisés pour retenir les fils d'un collier ou bracelet à fils multiples ainsi que pour augmenter l'impact visuel. Ils peuvent être placés juste devant le fermoir à chaque extrémité, tel que nous l'expliquons ci-dessous. D'autres styles de séparateurs peuvent être positionnés à mi-chemin le long des fils perlés.

vous aurez besoin de ceci:

outils

Pince coupante

Pince à sertir ou pince à bec effilé

matériel

Fil Soft Flex ou fil équivalent

Ruban adhésif transparent

Perles choisies pour votre projet (j'ai utilisé de petites perles pour cette démonstration)

Deux séparateurs qui s'harmonisent avec le fermoir convenant au nombre de rangs de fil désirés

Deux perles d'arrêt qui s'harmonisent avec le fermoir plus deux autres perles d'arrêt pour chaque fil perlé que vous utiliserez

Deux petites perles qui s'harmonisent soit avec le fermoir, soit avec les perles centrales dans le modèle

Un fermoir qui convient à vos besoins

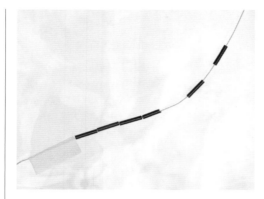

1 Coupez le fil à perler selon les longueurs désirées, en prévoyant 10 cm (4 pouces) de plus à chaque longueur pour attacher le fermoir avec les perles d'arrêt. Collez un bout de ruban adhésif transparent à 5 cm (2 pouces) de l'extrémité du premier fil et commencez à enfiler vos perles.

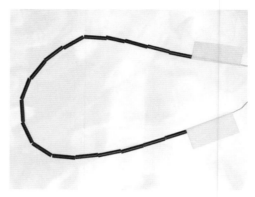

2 Continuez d'enfiler vos perles jusqu'à ce que le fil perlé ait atteint la longueur souhaitée. (Souvenez-vous de tenir compte de la longueur du fermoir et des séparateurs lors de votre calcul de la longueur souhaitée. Voir Conseil, à droite). Ajoutez un bout de ruban adhésif transparent à l'autre extrémité du fil perlé.

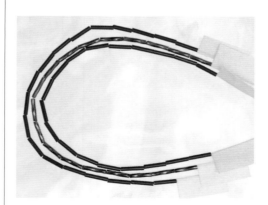

3 Répétez les étapes 1 et 2 pour l'enfilement des perles sur les autres fils à perler. Les fils sont de la même longueur aux fins de la démonstration, mais les vôtres pourraient être de différentes longueurs.

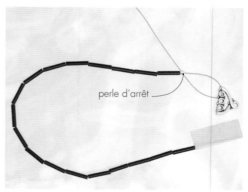

perle d'arrêt

4 Prenez le fil perlé le plus court/le premier fil perlé et retirez le bout de ruban adhésif d'une des extrémités. Glissez une perle d'arrêt et faites ensuite passer le fil dans la boucle supérieure du séparateur. Repassez maintenant le fil dans la perle d'arrêt, tel qu'illustré.

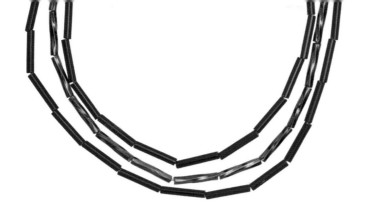

conseil

Les séparateurs sont des ajouts utiles dans une boîte de travail. Utilisez-les chaque fois que vous voulez que les fils perlés d'un modèle à fils multiples soient séparés. On pourrait par exemple se servir de séparateurs avec le modèle de collier présenté à la page 130. Cependant, ils ajoutent une longueur additionnelle au modèle. Assurez-vous d'ajouter à vos calculs la largeur du séparateur, celle des perles d'arrêt et celle des petites perles utilisées pour joindre le séparateur au fermoir en vue d'obtenir la longueur finale.

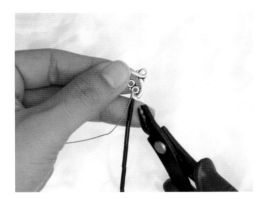

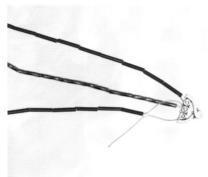

5 Poussez la perle d'arrêt contre la dernière perle sur le fil perlé et poussez le séparateur contre la perle d'arrêt. Tirez maintenant sur le fil. Écrasez fermement la perle d'arrêt pour attacher le fil en utilisant les pinces à sertir ou les pinces à bec effilé. Coupez enfin l'extrémité du fil.

6 Attachez les fils perlés qui restent au séparateur de la même façon, tel qu'illustré, en vous assurant à chaque fois que la perle d'arrêt est bien positionnée entre le séparateur et les perles décoratives sur un fil donné.

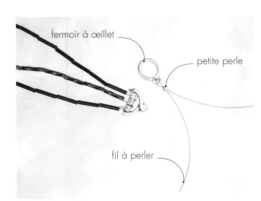

fermoir à œillet

petite perle

fil à perler

7 Coupez une longueur de 10 cm (4 pouces) de fil à perler et enfiler une petite perle qui s'harmonise avec le fermoir ou avec les perles centrales. Faites passer le fil dans la boucle du fermoir et repassez ensuite le fil dans la petite perle.

8 Passez les deux extrémités du fil dans une perle d'arrêt, ensuite dans l'anneau du séparateur et enfin de nouveau dans les deux perles. Tirez sur le fil et écrasez la perle d'arrêt (voir pages 68 et 69). Répétez les étapes 5 à 8 à l'autre bout.

faire des boucles de chapelet

Les boucles de chapelet sont utiles pour attacher les perles les unes aux autres, aux chaînes ou encore aux montures de boucles d'oreilles. Vous pouvez utiliser des pinces à bec rond comme celle qui paraît sur la photo, ou des pinces à chapelet comme je le fais. Ces pinces ont une section coupante intégrée, ce qui est plus rapide et plus pratique que d'avoir à changer de pince.

vous aurez besoin de ceci :

outils

Pince à bec rond ou pince à chapelet
Pince coupante

matériel

Perles choisies pour votre projet
Épingle à tête ou à œillet

conseil

Une épingle à œillet est comme une épingle à tête sauf qu'elle a une boucle à chapelet au lieu d'une tête plate. Si vous voulez relier plusieurs perles avec des boucles à chapelet, vous gagnerez du temps en utilisant des épingles à œillet plutôt que des épingles à tête.

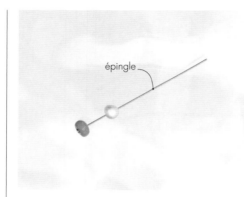

épingle

1 Glissez vos perles choisies sur une épingle à tête ou une épingle à œillet dans l'ordre souhaité. Peut-être voudrez-vous ajouter un séparateur entre les perles ou en glisser une en premier pour ajouter de la décoration.

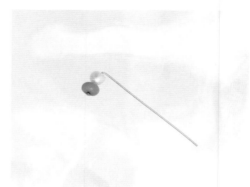

2 À l'aide de votre index (de la main avec laquelle vous êtes confortable), recourber le fil selon l'angle souhaité en haut de la perle supérieure, tel qu'illustré.

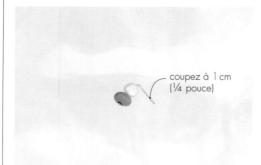

coupez à 1 cm (¼ pouce)

3 Utilisez la pince coupante ou la partie coupante de votre pince à chapelet pour couper l'extrémité du fil qui dépasse au-delà de la perle supérieure, laissant une longueur d'environ 1 cm (un peu plus d'¼ de pouce).

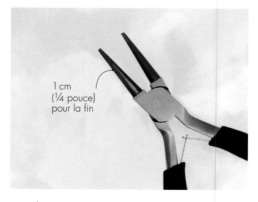

1 cm (¼ pouce) pour la fin

4 Identifiez l'endroit sur votre pince qui est à environ 1 cm (un peu plus d'¼ de pouce) de ses extrémités. C'est à cet endroit que vous recourberez le fil. (Plus vous travaillerez près des extrémités de la pince, plus votre boucle sera petite ; au début, vous trouverez que les plus grosses boucles sont plus faciles à faire.)

Une boucle de chapelet est une alternative rapide et facile à une boucle enroulée de fil (voir pages 78 à 81). Même si ce n'est pas aussi solide qu'une boucle enroulée de fil, elle a tout de même l'avantage d'utiliser moins de fil. Si vous n'avez pas assez de fil pour faire une boucle enroulée, vous pourrez au moins faire la boucle de chapelet.

5 Utilisez votre pince pour saisir le bout de l'extrémité du fil à 1 cm (¼ de pouce) du bout des extrémités de votre pince. Pour vous assurer d'avoir des boucles identiques, vous devez toujours prendre le fil au même endroit avec votre paire de pinces.

6 Tournez votre poignet pour recourber le fil vers vous pour faire une boucle. Relâchez le fil et reprenez-le à mi-chemin dans la boucle. Recourbez le fil une fois de plus.

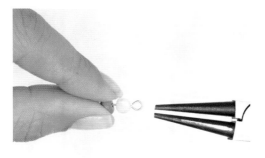

7 La deuxième rotation du fil devrait vous avoir permis de compléter la boucle. Sinon, recourbez le fil encore un peu jusqu'à ce que vous obteniez une boucle complète, tel qu'illustré. Pour faire de plus grandes boucles, vous aurez besoin d'un peu plus de fil à l'étape 3 (et de moins de fil pour en faire de plus petites). Avec un peu de pratique, vous devriez être en mesure de réaliser la bonne boucle facilement.

8 Examinez la boucle pour vous assurer qu'elle est bien fermée. Si elle ne l'est pas, il y a un danger de perdre les perles plus tard. Votre boucle devrait ressembler à celle qui est présentée à droite. Pour attacher la boucle de chapelet à une autre boucle, soulevez l'extrémité doucement. N'ouvrez pas la boucle de l'intérieur, car vous la déformerez et elle ne reprendra pas sa forme initiale.

enroulement avec fil

L'enroulement avec fil permet de créer une boucle solide après une perle ou une série de perles qui ont été enfilées sur un fil, sur une épingle à tête ou sur une épingle à œillet. Cette technique a une valeur inestimable quand vient le temps de fabriquer des boucles d'oreilles, ajouter des pendentifs à un collier ou à un bracelet ou dans la fabrication de tout autre projet avec des éléments sur fil.

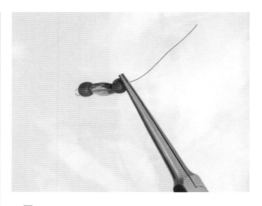

1 Enfilez vos perles choisies sur le fil, l'épingle à tête ou l'épingle à œillet, en vous assurant qu'elles sont à l'extrémité de la tige. Vous aurez besoin d'une longueur de fil de 15 à 25 mm (½ pouce à 1 pouce) qui dépasse au-dessus de la perle supérieure pour compléter l'enroulement. (C'est plus simple à faire avec plus de fil, mais cela représente aussi plus de gaspillage.)

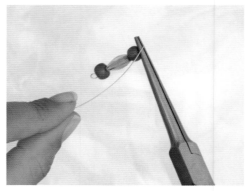

2 Saisissez le fil juste au-dessus des perles avec les bouts de votre pince à bec effilé. Faites attention de ne pas abîmer les perles de cristal ou les pierres semi-précieuses avec la pince. Tirez le fil par-dessus la pince dans le bon angle, tel qu'illustré, pour créer une tige pour l'enroulement avec fil.

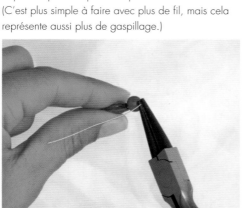

3 Agrippez le bout de fil recourbé avec votre pince à bouts ronds juste en dessous de la perle, tel qu'illustré. Plus vous serez aux extrémités de votre pince, plus votre boucle finale sera petite.

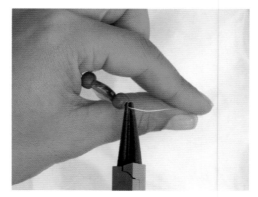

4 Utilisez votre main libre pour tirer l'extrémité de votre fil par-dessus les bouts de la pince, tel qu'illustré, en le recourbant fermement autour de la pince pour commencer la boucle qui sera attachée au prochain élément de votre bijou, comme la monture de boucles d'oreilles.

conseil

À force de pratiquer ce genre d'enroulement, vous en viendrez à développer votre propre version de la technique. Pour réaliser une attache bien serrée autour d'une tige dans l'étape 8, plusieurs personnes utilisent des pinces à bec effilé de façon à pouvoir tirer sur le fil pendant l'enroulement.

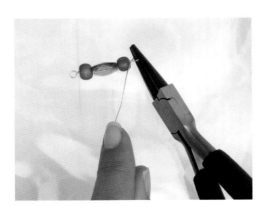

5 Tirez sur le fil aussi loin qu'il pourra aller dans un mouvement délicat pour créer une belle boucle. Avec un peu de pratique, vous réussirez à faire cela rapidement et de la bonne façon. Vous avez maintenant complété les trois quarts de la boucle.

6 Voici à quoi devrait ressembler votre boucle. À ce moment, vous pouvez glisser un autre élément dans la boucle ouverte, comme une monture de boucles d'oreilles, une chaîne ou une boucle de chapelet. Je ne l'ai pas fait sur la photo parce que je voulais que le processus soit plus simple à visualiser.

7 Glissez la pince à bec rond de nouveau dans la boucle et agrippez l'extrémité du fil avec votre main libre. Entourez-le autour de la pince pour compléter la boucle. Cela vous ramènera à la position de départ pour l'enroulement.

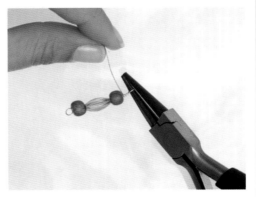

8 Passez le fil deux fois autour de la tige en dessous de la boucle (voir Conseil, en haut à droite). L'extrémité du fil devrait être très près de la perle, tel qu'illustré. Coupez l'extrémité du fil près de la perle de façon à ce que le bout du fil soit presque invisible.

double enroulement avec fil

Si vous êtes capable de faire un enroulement avec fil tel que nous l'avons expliqué dans les pages précédentes, alors il sera facile pour vous de répéter le processus aux deux extrémités d'une perle ou d'un ensemble de perles, faisant ainsi un double enroulement.

VOUS aurez besoin de ceci :

outils

Pince à bec effilé

Pince à bec rond ou pince à chapelet

Pince coupante

matériel

Fil à perler ou épingle à tête

Perles qui conviennent pour votre projet

Items à attacher, dans l'exemple un fermoir et une chaîne

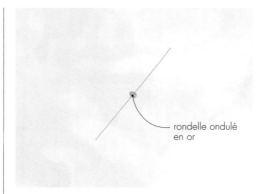

rondelle ondulé en or

1 Enfilez la perle que vous utilisez, ici une rondelle ondulée en or, sur une petite longueur de fil. Coupez ensuite ce fil de façon à n'avoir plus que 15 à 25 mm (½ à 1 pouce) au-dessus et en dessous de la perle. Vous pourriez aussi utiliser une grande épingle à tête.

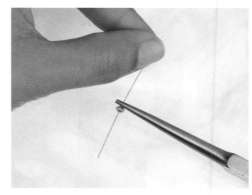

2 Saisissez le fil juste au-dessus de la perle avec la pince à bec effilé, tel qu'illustré, et tirez le fil selon le bon angle. Si vous le souhaitez, vous pouvez faire glisser la perle à ce moment, mais j'ai décidé de la laisser en place afin que vous puissiez voir la progression dans la technique.

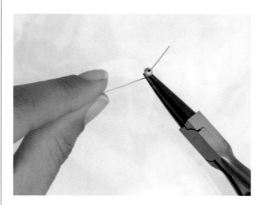

3 Prenez maintenant votre pince à bec rond et saisissez la portion recourbée de votre fil, à l'endroit précis où le fil est plié. Servez-vous de votre main libre pour faire passer le fil autour de la pince, en faisant une boucle (voir les étapes 3 à 5 aux pages 78 et 79).

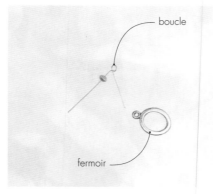

boucle

fermoir

4 Enfilez une des deux composantes que vous souhaitez joindre dans la boucle du fil. Dans cet exemple, ce sera une partie du fermoir à œillet.

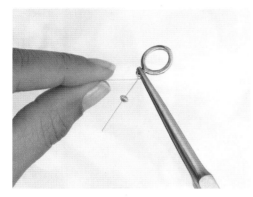

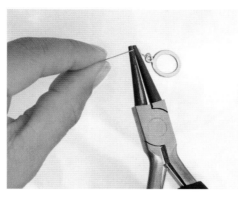

5 Complétez l'attache du fil en enroulant l'extrémité du fil autour de la tige juste en dessous de la boucle de la façon habituelle, en suivant les étapes 7 et 8 de la page 79.

6 Si vous avez retiré la perle à l'étape 2, vous devez maintenant l'enfiler de nouveau. Saisissez le fil juste au-dessus de la perle avec votre pince à bec effilé et recourbez le fil au bon angle. Prenez maintenant votre pince à bec rond, tel qu'illustré, et faites une nouvelle boucle, comme l'autre d'avant.

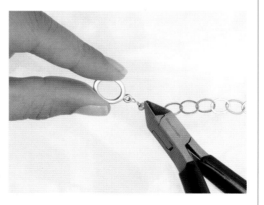

7 Enfilez l'autre composante. Dans cet exemple, il s'agit de la chaîne en or d'un collier. Complétez ensuite l'enroulement avec fil en faisant faire deux tours à l'extrémité du fil autour du fil sous la boucle, en terminant près des perles.

8 Utilisez votre pince coupante pour couper l'extrémité du fil près de la perle. Si l'extrémité du fil est apparente, utilisez la pince à bec effilé pour rapprocher cette extrémité du fil près de la perle où elle sera hors de vue.

attacher une briolette

Les briolettes et les autres perles pendantes ont un trou qui traverse le dessus afin qu'elles paraissent suspendues quand elles sont enfilées. Si vous devez les attacher avec du fil, sachez que vous ne pourrez utiliser la technique de base. La méthode que nous vous présentons pour attacher une briolette avec du fil donnera un fini magnifique et solide.

vous aurez besoin de ceci :

outils

Pince coupante
Pince à bec effilé
Pince à bec rond ou pince à chapelet

matériel

Briolette ou autre perle pendante
Fil Soft Flex ou fil à perler équivalent

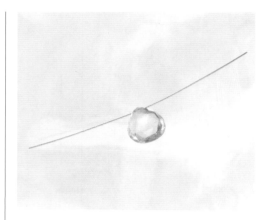

1 Enfilez une briolette sur une longueur de fil à perler, en laissant environ 4 cm (1 ½ pouce) d'un côté et au moins 2 cm (¾ de pouce) de l'autre côté. Au début, vous trouverez peut-être cela plus facile de commencer avec la perle en plein centre.

2 Tirez les bouts de fil au-dessus de la perle et croisez-les de façon à former un triangle avec la briolette centrée dans le milieu, tel qu'illustré.

3 Servez-vous la pince à bec effilé pour plier chaque extrémité du fil à l'endroit où les fils se croisent, tel qu'illustré.

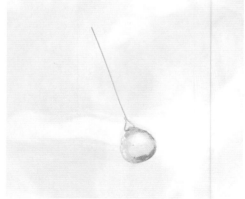

4 Coupez l'extrémité la plus courte à environ 3 mm au dessus du sommet du triangle de fil avec la pince coupante. Le petit bout de fil sera recouvert par l'attache de fil un peu plus tard.

conseil

Il peut être tentant de vous procurer du matériel économique pour pratiquer vos techniques. Cependant, le fil bon marché est habituellement épais et plutôt raide, et il est très difficile de faire de beaux enroulements avec fil en l'utilisant. Achetez en conséquence le meilleur fil qui soit. Vous le méritez bien !

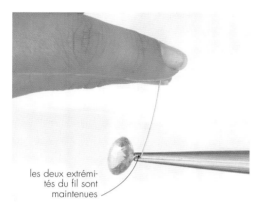

les deux extrémités du fil sont maintenues

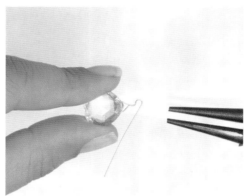

5 Utilisez la pince à bec effilé pour saisir les deux fils au-dessus du triangle, tel qu'illustré. Servez-vous de votre main libre pour pliez le fil par-dessus la pince au bon angle.

6 Prenez maintenant votre pince à bec rond et faites une boucle de la façon habituelle (voir les étapes 3 à 6 sur l'attache avec fil, aux pages 78 et 79). Enfilez le prochain élément, tel qu'une monture de boucles d'oreilles sur la boucle, si désiré.

7 Complétez la boucle en la saisissant avec la pince à bec rond et en lui faisant faire un tour avec votre main libre.

8 En commençant à la base de la boucle, entourez le fil autour du cou du fil, en maintenant les attaches de fil les unes près des autres. Travaillez vers le bas jusqu'à la perle et coupez enfin le fil en surplus.

modèles
de designer

boucles d'oreilles

Les humains portent des boucles d'oreilles depuis au moins l'an 2500 avant Jésus-Christ, et les peintures sur les vases anciens comme les gravures sur les pièces de monnaies de l'antiquité nous révèlent qu'elles étaient également portées par les Grecs et les Égyptiens de l'époque. De fait, même Toutankhamon avait les oreilles percées. Depuis ce temps, des personnes importantes de partout dans le monde en ont aussi porté, incluant Elizabeth 1ère, la reine Victoria d'Angleterre et des milliers d'autres personnes moins connues et moins fortunées. Vous êtes ainsi libres de penser que vos modèles de boucles d'oreilles sont les descendants d'une longue lignée. Et comme les boucles d'oreilles sont parmi les bijoux les plus faciles et les plus rapides à faire ainsi que ceux qui se portent le mieux, cela vous donne des tas de bonnes raisons pour commencer à en confectionner.

tout ce qu'il faut savoir à propos des boucles d'oreilles

Les boucles d'oreilles sont habituellement les premiers bijoux que les gens tentent de confectionner. Elles ne nécessitent pas beaucoup de perles et peu de fournitures, et certains modèles très simples peuvent être réalisés en quelques minutes. Cela étant dit, il existe également des modèles très compliqués qui peuvent prendre des heures à compléter.

Il y a une très grande variété de formes et de designs de boucles d'oreilles. Il existait avant des règles bien strictes pour le port des boucles d'oreilles, mais les gens ne s'en font plus avec ces conventions d'une autre époque. Bien que des items tels que des boucles d'oreilles élaborées avec des diamants soient habituellement réservés pour les grandes soirées, presque toutes les autres formes et styles de boucles d'oreilles peuvent être portés avec tous les types de vêtements, autant les tenues de ville que les tenues décontractées, le jour comme le soir.

styles de base

Les **chandeliers** utilisent des composantes, des chaînes ou d'autres mécanismes qui ajoutent de la dimension et de la longueur.

Les boucles d'oreilles à **pendentifs** tombent de l'oreille de façon séduisante. Elles peuvent être confectionnées avec une seule ou plusieurs perles, tout dépendant de l'aspect que vous tentez d'obtenir.

Les **créoles** sont des fils circulaires ou semi-circulaires qui ressemblent à des anneaux. Ils passent dans le trou de l'oreille dans une boucle et peuvent être attachées avec des montures de boucles d'oreilles (voir pages 160 et 161).

Les **clous d'oreilles** sont des fils droits qui passent dans l'oreille et qui sont retenus à l'arrière de celle-ci par une petite composante appelée papillon. Il existe aussi d'autres types de fermoirs.

des formes pour différents visages

Tentez l'expérience avec différentes formes et différents styles de boucles d'oreilles pour voir de quelle façon cela change l'aspect de votre visage.

• Toutes les formes de boucles d'oreilles vont aux visages ovales, mais elles doivent être proportionnelles à la taille de celle qui les porte.

• Un visage rond a besoin de boucles d'oreilles ayant une certaine longueur pour l'allonger. Des boucles d'oreilles qui pendillent représentent ce qu'il y a de mieux.

• Un visage oblong est à son avantage avec des boucles d'oreilles en bouton, attirant ainsi l'œil à l'horizontale.

• Un visage en forme de cœur a besoin de boucles d'oreilles qui soient plus larges dans le bas pour compenser un menton étroit. Des formes comme des larmes et des triangles inversés font bien, tout comme des boucles d'oreilles en boutons.

• Un visage en forme de losange peut suivre les mêmes consignes que les visages ovales, mais cette forme de visage peut aussi bénéficier de designs plus spectaculaires. Des coins, des points ou des contours plus durs vont bien avec un visage angulaire; le cristal coupé va très bien avec le visage en forme de losange.

• Un visage de forme carrée paraîtra bien avec des boucles d'oreilles qui pendillent, cela lui procure une longueur flatteuse.

créoles sans fin

Si vous avez un visage de forme ovale ou en losange, vous pourrez porter ces jolies créoles (page 92).

les perles vont avec tout

Les perles peuvent bien aller avec à peu près tout, ce qui explique pourquoi elles bénéficient d'une popularité qui ne se perd pas dans le temps. Ces grappes sont idéales pour des visages de forme carrée, ronde et en cœur (voir pages 98 et 99).

modèles de boucles d'oreilles

Cette section compte six modèles de boucles d'oreilles à confectionner, et aucun de ces projets ne devrait être trop difficile, même pour les gens qui ont peu d'expérience. Vous trouverez d'autres exemples faciles dans la section «Rapide et facile» des pages 158 à 165. Des projets identifiés avec une perle dans la légende conviennent pour les débutants, et ceux qui ont deux perles intéresseront davantage les intermédiaires.

perles en pendentif

●○○ 90–91

créoles cercles de la vie

●●○ 92–93

pendentifs multiples

●●○ 94–95

l'heure du swing

●●○ 96–97

grappes de perles

●○○ 98–99

créoles flocons de neige

●○○ 100–101

boucles d'oreilles
« perles en pendentif »

Élégantes dans leur simplicité, ces boucles d'oreilles faciles à porter peuvent être fabriquées en quelques minutes, et elles vous combleront toute votre vie. Vous n'avez besoin que de deux perles par boucle, ce qui vous laisse libre d'acheter les meilleures qui soient. Ces boucles d'oreilles stupéfiantes sont confectionnées avec des perles turquoise et des perles d'eau douce.

vous aurez besoin de ceci :

outils

Pince coupante

Pince à bec effilé

Pince à bec rond ou pince à chapelet

matériel

Quatre perles de votre choix, j'ai utilisé deux perles de 4 mm et deux rondelles turquoise 4 mm

Deux épingles à tête de couleur or

Quatre séparateurs marguerite de couleur or

Deux montures de boucles d'oreilles à crochet

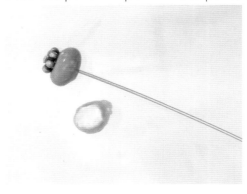

1 Enfilez un séparateur marguerite sur une épingle à tête – cela peut vous paraître uniquement décoratif mais ce séparateur empêchera les plus grosses perles de tomber. Enfilez ensuite une rondelle turquoise.

2 Enfilez maintenant un autre séparateur marguerite et enfin une perle. Saisissez le fil de l'épingle à tête fermement au-dessus de la perle supérieure avec votre pince à bec effilé. Avec votre main libre, recourbez l'épingle à tête au bon angle.

3 Prenez vos pinces à bec rond et faites un enroulement en boucle selon les instructions des pages 78 et 79. Coupez le fil de surplus et utilisez ensuite la pince à bec effilé pour serrer l'extrémité du fil près des perles où elle sera pratiquement invisible.

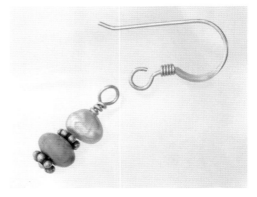

4 Ouvrez l'anneau de la monture de boucles d'oreilles en tirant dessus doucement avec votre pince à bec effilé. Insérez la boucle sur l'épingle à tête perlée. Refermez la boucle pour compléter ainsi une boucle d'oreille et confectionnez ensuite la seconde de la même façon.

créoles cercles de la vie

Les boucles d'oreilles créoles sont disponibles en très grand nombre dans les bijouteries et constituent une excellente base pour du travail décoratif à l'aide de perles. Il n'est pas possible simplement d'enfiler les perles sur les créoles car elles sont trop épaisses, mais il est par contre possible de les attacher avec du fil fin, ajoutant ainsi des perles de votre choix et créant un modèle unique en peu de temps.

VOUS aurez besoin de ceci :

outils

Pince coupante
Pince à bec effilé

matériel

Créoles de 40 mm (1 pouce) simple en argent, disponible dans les bijouteries

50 cm (20 pouces) de fil calibre 26 de couleur argentée

32 petites perles, j'ai utilisé des quartz bleus de 4 mm et des perles argentées de 3 mm

Deux perles pendantes pour le centre, j'ai pris des briolettes aigue-marine de 12 mm

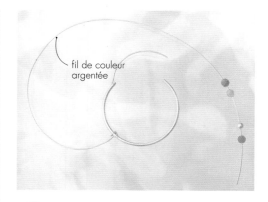

fil de couleur argentée

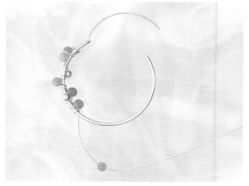

1 Coupez une longueur de 25 cm (10 pouces) de fil couleur argentée. Commencez sur la gauche à mi-chemin entre le quart et la demie, en attachant le fil solidement autour de l'anneau, afin qu'il tienne bien en place. Enfilez trois ou quatre perles sur le fil.

2 Enroulez le fil autour de l'anneau de façon à ce que les perles soient serrées contre lui. Pour que le fil soit plus ajusté, tirez dessus doucement avec la pince à bec effilé. Répétez le processus en ajoutant trois ou quatre autres perles.

3 Lorsque vous avez atteint le bas de l'anneau, c'est le temps d'ajouter la briolette. Attachez-la avec le fil en suivant les instructions des pages 82 et 83 et enfilez ensuite la briolette sur le fil. Emmenez ensuite le fil de l'autre côté de la briolette en l'enroulant.

4 Enroulez la deuxième section de l'anneau comme avant, en enfilant trois ou quatre perles et en tirant sur le fil pour le resserrer. Repassez le fil dans le dernier groupe de perles et coupez le fil en surplus. Répétez la même chose pour la deuxième boucle.

boucles d'oreilles à pendentifs multiples

Conçues de façon à produire un effet, ces boucles d'oreilles attirent beaucoup d'attention et conviennent très bien pour les fêtes. Elles sont énormément adaptables, et vous pourrez avoir beaucoup de plaisir à expérimenter différentes formes et tailles de perles. Essayez aussi de les confectionner avec d'autres couleurs selon votre goût personnel ou pour les harmoniser avec un ensemble particulier.

vous aurez besoin de ceci :

outils

Pince coupante
Pince à bec effilé
Pince à chapelet

matériel

Une sélection de perles, j'ai personnellement choisi deux disques de bois de 8 mm de diamètre ; deux perles roses transparentes de 8 mm de diamètre ; quatre perles roses transparentes de 6 mm de diamètre ; 26 perles mauves de 3 mm de diamètre ; deux petites perles en or, et une poignée de perles roses en forme de graines polies à la flamme

Deux montures de boucles d'oreilles à crochet

Huit épingles à tête de couleur or

Huit séparateurs marguerite de couleur or

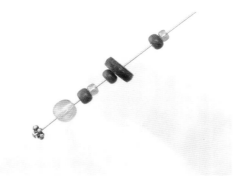

1 Enfilez vos perles choisies sur une première épingle. J'ai commencé avec un séparateur marguerite et j'ai ensuite ajouté une perle rose de 6 mm, trois perles roses et mauves, un disque de bois et deux autres perles roses et mauves.

2 Enfilez les perles sur la deuxième épingle. J'ai ici créé une colonne étroite, en commençant avec une perle en or suivi d'un arrangement de perles roses et mauves.

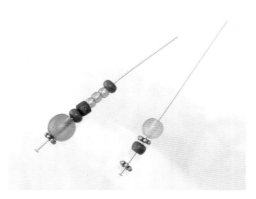

3 Enfilez ensuite la troisième et la quatrième épingle. Tentez d'obtenir une certaine variété dans la longueur et la largeur et souvenez-vous que vous devrez conserver la même quantité de perles pour confectionner la seconde boucle d'oreille de la paire.

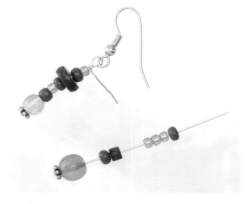

4 En vous reportant aux instructions des pages 78 et 79, faites une boucle enroulée au sommet de chaque monture de boucles d'oreilles. Répétez le tout pour confectionner la seconde boucle d'oreille.

boucles d'oreilles « l'heure du swing »

Le style chandelier est élégant et sophistiqué, et ces adorables boucles d'oreilles sont parfaites pour un souper spécial ou une soirée au théâtre. Elles pourraient également être adaptées pour s'harmoniser avec des vêtements de mariée. Confectionnez-les dans les tons d'une seule couleur ou en deux ou trois couleurs qui s'harmonisent bien.

VOUS aurez besoin de ceci :

outils

Pince coupante
Pince à bec effilé
Pince à chapelet
Pince à sertir

matériel

Deux briolettes de 20 mm de longueur, les miennes étaient en quartz fumé

Dix petites tourmalines pastèque d'environ 3 mm de diamètre

Une longueur de chaîne d'environ 20 cm (8 pouces) de couleur or

Une longueur de fil à perler Soft Flex d'environ 20 cm (8 pouces) ou l'équivalent

Deux montures de boucles d'oreilles à crochet de couleur or

Quatre perles de séparation de couleur or

Quatre perles d'arrêt de couleur or

Deux épingles à tête de couleur or

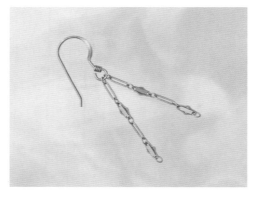

1 Ouvrez la boucle de la monture de boucles d'oreilles à crochet en tirant sur le côté. Coupez deux longueurs de chaîne de 40 mm (1 ½ pouce) et glissez-les sur la monture pour vous assurer qu'elles sont identiques. Si votre chaîne n'a qu'un type de maillon, vous pouvez utiliser une seule longueur de 80 mm (3 pouces).

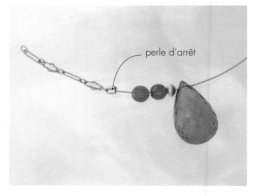

perle d'arrêt

2 Retirez la chaîne de la monture. Coupez une longueur de 10 cm (4 pouces) de fil à perler et sertissez une des extrémités à un bout de la chaîne tel qu'expliqué aux pages 68 et 69. Ajoutez deux perles tourmalines, un séparateur or et le pendentif central.

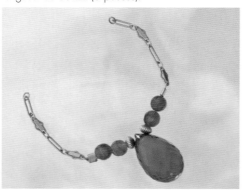

3 Ajoutez maintenant un deuxième séparateur or et deux autres perles tourmalines. Si vous avez deux courtes chaînes, sertissez le fil perlé à l'autre chaîne. Si vous avez une plus longue chaîne, sertissez le fil perlé à l'extrémité libre.

monture de boucles d'oreilles

4 Pour le pendentif central, coupez une longueur de chaîne de 12 mm (½ pouce). Prenez une épingle à tête et enfilez une perle et un séparateur or. Attachez ensuite avec le fil à l'extrémité de la chaîne tel qu'expliqué aux pages 78 et 79. Glissez la chaîne sur la monture de boucles d'oreilles et refermez la boucle. Répétez l'opération avec la seconde boucle d'oreille.

grappes de perles

Les perles ont de tout temps été synonymes d'élégance, de sophistication et de pureté, et c'est pourquoi elles sont fréquemment choisies pour accompagner les vêtements de mariée. Elles peuvent cependant convenir à d'autres événements officiels. Ces boucles d'oreilles «grappes de perles» sont très rapides à confectionner et peuvent être adaptées facilement avec d'autres perles.

vous aurez besoin de ceci:

outils

Pince à bec effilé

Pince coupe-fil ou ciseaux

matériel

12 perles d'environ 12 mm de diamètre

40 cm (16 pouces) de fil à perler en nylon translucide

Deux séparateurs marguerite de couleur or

Deux petites perles d'arrêt de couleur or

Deux montures de boucles d'oreilles à crochet de couleur or

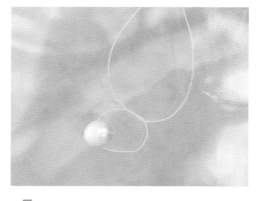

1 Coupez une longueur de fil à perler de 20 cm (8 pouces) et enfilez une perle au centre. Faites un nœud simple avec les deux extrémités du fil, en isolant la perle de la façon illustrée.

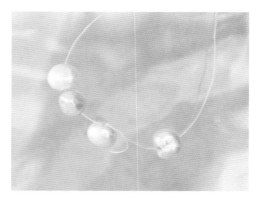

2 Resserrez le nœud dans le fil. Enfilez maintenant deux perles à une extrémité du fil et une perle à l'autre extrémité, tel qu'illustré. Resserrez encore une fois le fil. Cette fois les perles supplémentaires aideront à maintenir le nœud en place.

3 Rapprochez les deux extrémités du fil à perler et enfiler deux autres perles, tel qu'illustré. Poussez les deux perles vers le bas du fil jusqu'à ce qu'elles reposent fermement près des perles déjà en place.

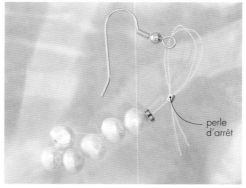

perle d'arrêt

4 Enfilez un séparateur marguerite et ensuite une perle d'arrêt. Poussez le fil vers l'œillet de la monture de boucles d'oreilles et ensuite à travers la perle d'arrêt. Tirez le fil perlé, sertissez la perle et coupez ensuite le fil (voir pages 68 et 69). Répétez le tout pour la seconde boucle d'oreille.

créoles flocons de neige

Les créoles de métal comme celles-ci sont disponibles dans une variété de tailles dans les couleurs or et argenté, et l'ajout de perles ne pourrait être plus facile. Si vous voulez recouvrir complètement les créoles avec des perles, tel qu'illustré, vous devrez en incorporer de plus petites pour vous assurer que le tout soit bien ajusté.

vous aurez besoin de ceci :

outils

Pince à bec effilé

matériel

Deux créoles argentées de 30 mm (1 ¼ pouce) de diamètre avec des montures de boucles d'oreilles à crochet

Une poignée de perles transparentes en forme de graine

Quatre fragments de nacre

Quatre séparateurs marguerite de couleur argentée

Deux grosses perles centrales – les miennes étaient de 10 mm

fragment

1 Les perles sont enfilées à une extrémité de l'anneau. Sachez que pour obtenir un effet équilibré, vous devrez procéder à quelques ajustements. Pour ce modèle, commencez en enfilant trois perles en forme de graine, un fragment et ensuite encore trois perles en forme de graine.

séparateur marguerite

2 Enfilez ensuite un gros séparateur marguerite de couleur argentée, votre perle centrale suivie d'un autre séparateur marguerite. La perle centrale devrait être située à l'opposé du fermoir de l'anneau. Si ce n'est pas le cas, vous devrez peut-être revoir le nombre de perles en forme de graine sur l'anneau.

3 Enfilez trois perles en forme de graine, un fragment de nacre et ensuite trois autres perles en forme de graine, tel qu'illustré. L'anneau devrait maintenant être presque complet, mais il devrait rester suffisamment de fil à la fin pour y glisser aisément la monture de boucle d'oreille.

monture de boucles d'oreilles

4 Repoussez l'anneau ouvert dans la fourniture. Vérifiez l'effet ainsi obtenu et si vous êtes satisfait(e) du résultat, serrez bien la fourniture avec votre pince. Ajoutez la monture de boucles d'oreilles pour compléter votre première boucle d'oreille, et confectionnez ensuite la seconde boucle d'oreille de la paire.

bracelets

Portés autant par les hommes que par les femmes depuis
que les humains ont entrepris de travailler le métal, les
bracelets étaient d'abord un symbole de richesse et
de statut social. Les rois égyptiens et les gouverneurs
romains en portaient le poids – des serpents de métal
enroulés (ressemblant un peu au fil en spirale de nos
bracelets d'aujourd'hui), des brassards richement ornés
et plein de bracelets, quelquefois incrustés de pierres
précieuses. Les bracelets de perles d'aujourd'hui sont
ce que vous voulez qu'ils soient, du bracelet frivole et
féminin au bracelet épais et masculin en passant par
les bracelets fonctionnels (les bracelets médicaux).
En fabriquant le vôtre, vous avez la certitude
de créer exactement celui qui vous conviendra.

tout ce qu'il faut savoir à propos des bracelets

Le terme bracelet renvoie habituellement à un bijou flexible qui enveloppe doucement le poignet. Il existe plusieurs types de bracelets et de matériaux parmi lesquels choisir. Un bracelet de perle peut comporter des pierres ou des perles et peut comprendre un fil simple, double, triple, ou autant de fils que vous voulez.

Un bracelet qui sied bien devrait être suffisamment lâche pour être confortable et ne pas créer de pression sur le poignet. Il ne doit cependant pas être trop lâche, car il glisserait ainsi jusque sur la main et risquerait de tomber. La taille moyenne d'un bracelet est de 18 cm (7 ¼ pouces). Les miens ont habituellement une longueur de 18,5 cm (7 pouces) pour un peu plus d'espace, mais fabriquez les vôtres de façon à ce qu'ils conviennent à vos poignets.

styles de base

Les bracelets **bangles** sont des cercles de métal qui vont autour du poignet. Ils sont habituellement étroits et sont souvent portés en double ou en triple pour un aspect plus im-

posant. Un bangle peut être un cercle sans fin articulé de façon à ce qu'il soit plus facile à installer. Une nouvelle tendance est d'ajouter des breloques et des pierres de multiples couleurs pour un aspect bohémien.

Les **cuffs** ou menottes sont des bracelets solides, souvent rigides, qui ne font pas le tour complet du poignet et qui sont souvent plus larges que les bangles. Un cuff peut être fait de métal, de bois ou de plastique, et peut être combiné avec des pierres précieuses pour plus de luxe.

Les **bracelets à breloques** sont habituellement composés de chaînes à maillons parées de pendentifs sentimentaux. J'aime aussi ajouter des perles qui pendillent des maillons (voir pages 116 et 117).

longueur des bracelets

Mesurez le bracelet de la personne qui portera le bracelet et prévoyez un peu d'espace pour que le bracelet soit confortable. Soustrayez la longueur du fermoir et de l'assemblage à l'anneau. Le résultat obtenu est la longueur souhaitée disponible pour les perles de votre bracelet. Sachez cependant que les grosses perles prennent plus de place et pourraient rendre votre bracelet trop serré. Afin de vous assurer que le bracelet fini sera bien ajusté, vous devez compenser pour le diamètre de vos perles. Pour les perles rondes, ajoutez simplement trois perles à la longueur mesurée de votre fil. Pour toute autre forme de perle, triplez le diamètre d'une perle et ajoutez assez de perles à votre fil pour compenser la longueur additionnelle.

épaisses et minces

Combinez des perles de différentes tailles d'une ou deux couleurs pour un aspect classique. (Voir pages 112 à 115 pour des instructions détaillées permettant de confectionner ce bracelet.)

plus il y en a, mieux c'est
Si vous savez comment faire un bracelet à un seul fil, alors en faire un à plusieurs fils ne sera pas un problème. Ce bracelet est présenté à la page 108.

modèles de bracelets

Ces quatre bracelets sont si adorables que vous voudrez probablement les fabriquer tous. Et vous aurez maîtrisé en un rien de temps, toutes les techniques contenues dans ce livre. Le premier projet (qui contient une seule perle dans sa légende) est pour les débutants, alors que les deux suivants sont de niveau intermédiaire et le dernier de niveau avancé.

œil-de-tigre

●○○ 106–111

bracelet vert porte-bonheur

●●○ 108–111

bracelet classique à fils multiples

●●○ 112–115

magie du métal

●●● 116–117

œil-de-tigre

La combinaison de différents types de perles d'une seule couleur est un moyen facile de s'assurer qu'un modèle possède de la variété et de l'intérêt tout en maintenant une harmonie générale. Ce modèle combine des pierres semi-précieuses avec des perles de bois pour une combinaison naturelle qui convient à la plupart des styles.

vous aurez besoin de ceci :

outils

Pince coupante
Pince à sertir

matériel

Une longueur de 30 cm (12 pouces) de fil à perler Soft Flex ou l'équivalent

Dix perles œil-de-tigre à facettes de 6 mm de longueur

Quatre perles ovales en bois de 8 mm de longueur

Quatre pépites de citrine à facettes de 18 mm de longueur

17 séparateurs de couleur or

Deux perles d'arrêt de couleur or

Un fermoir à barrette de couleur or de 10 mm de longueur

Ruban adhésif transparent

1 Collez un bout de ruban adhésif au fil à perler à environ 5 cm (2 pouces) d'une extrémité pour éviter que les perles tombent. Enfilez un séparateur et un œil-de-tigre (2 fois) et ensuite une perle de bois, tel qu'illustré.

2 Ajoutez un autre séparateur suivi d'une des perles centrales — une pépite citrine. Répétez les étapes 1 et 2 pour suivre le modèle ou créez un modèle symétrique autour des citrines comme je l'ai fait dans mon modèle fini.

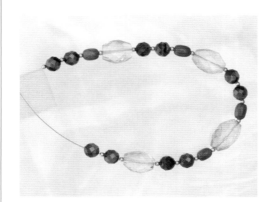

3 Continuez d'enfiler les perles jusqu'à ce que vous ayez atteint la longueur désirée. Je favorise une longueur de 18,5 cm (7 ¼ pouces) incluant le fermoir. Pour arriver à la longueur désirée, j'ai laissé de côté une perle ovale avant le fermoir, ce qui ne se verra pas quand le bracelet sera terminé.

fermoir à barrette

4 Ajoutez une perle d'arrêt et sertissez l'extrémité de votre fil perlé au fermoir à barrette, selon les instructions des pages 68 et 69. Retirez le ruban de l'autre extrémité, enfilez une autre perle d'arrêt et sertissez-la à l'extrémité libre du fermoir pour compléter le tout.

le bracelet vert porte-bonheur

Pourquoi vous contenter d'un seul fil perlé alors que vous pourriez en avoir quatre ? Ce charmant bracelet à fils multiples est aussi facile à faire qu'un bracelet à fil unique, et la combinaison de perles rectangulaires, de perles de cristal et de petites breloques en argent font de ce bracelet un rêve pour jeune fille bohémienne.

VOUS AUREZ besoin de ceci :

outils

Pince coupante
Pince à sertir

matériel

Fil à perler Soft Flex ou l'équivalent

Deux longueurs de fil à perler de 40 cm (16 pouces) de perles rectangulaires irrégulières, qui ont chacune entre 6 et 10 mm de longueur (j'ai utilisé de la malachite)

Environ 12 perles de verre transparent, de cristal ou d'acrylique de 5 mm de diamètre

Environ 10 breloques en argent ou plus

Un fermoir pour quatre fils en argent

Huit perles d'arrêt couleur argentée

Ruban adhésif transparent

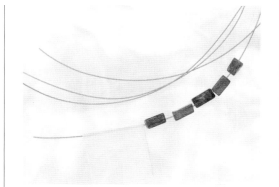

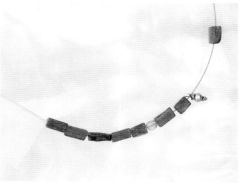

1 Décidez de la longueur totale de votre bracelet (voir page 104) et soustrayez la longueur du fermoir pour déterminer la longueur de chaque fil perlé. Coupez quatre longueurs égales de fil à perler selon vos mesures et ajoutez à cela 10 cm (4 pouces) ou plus. Collez un bout de ruban adhésif à environ 5 cm (2 pouces) de l'extrémité d'un premier fil à perler et commencez à enfiler.

2 Placez les perles argentées et les breloques comme vous le voulez. Vous pouvez choisir d'ajouter une breloque à seulement un fil ou d'en ajouter deux ou trois à chaque fil, et vous pourriez choisir de disposer les perles de cristal ou d'acrylique à des intervalles réguliers ou au hasard, comme je l'ai fait.

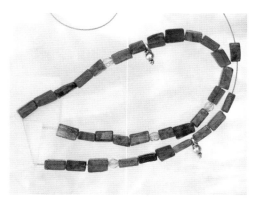

3 Enfilez encore d'autres perles pour compléter un fil, en vous souvenant que vous en avez quatre à faire. N'utilisez donc pas toutes vos perles décoratives sur le premier fil.

4 Placez un bout de ruban adhésif sur l'extrémité du deuxième fil et commencez à y enfiler les perles. Déposez de temps en temps votre deuxième fil à côté du premier pour vérifier qu'ils iront bien ensemble.

conseil

Si vous aimez les colliers et les bracelets à fils multiples, recherchez alors une planche à perles à fils multiples (voir pages 64 et 65). Elle possède des corridors parallèles dans lesquels vous pouvez placer vos fils pour les comparer. Les fils ne bougeront pas, les perles ne tomberont pas, et si vous utilisez des pierres semi-précieuses comme j'aime le faire, cela les protégera aussi des égratignures et fera en sorte d'éviter qu'elles ne se brisent.

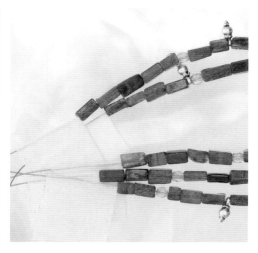

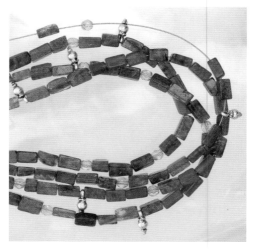

5 Enfilez les perles sur le troisième fil exactement de la même façon, en le plaçant de temps en temps à côté des deux premiers fils pour vérifier que l'effet produit est équilibré.

6 Vous pouvez maintenant perler votre quatrième et dernier fil exactement de la même façon. Lorsque ce sera complété, placez les quatre fils perlés côte à côte et faites une dernière vérification pour vous assurer que vous êtes satisfait(e) de l'ordre des perles. C'est votre dernière chance de faire des ajustements.

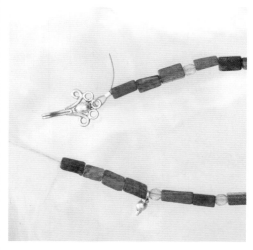

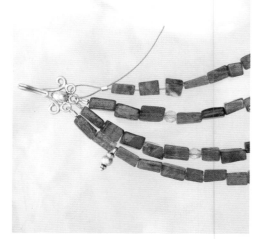

7 Le fermoir que j'ai choisi était prévu pour cinq fils, et non pour quatre, alors j'ai dû attacher deux fils dans la boucle centrale et un de chaque côté, laissant vide les deux boucles intermédiaires. Si vous avez un fermoir pour quatre fils, utilisez les quatre boucles. Retirez le ruban de l'extrémité du premier fil que vous allez attacher et utilisez une perle d'arrêt pour l'attacher à une boucle du fermoir (voir pages 68 et 69).

8 Utilisez la technique du sertissage pour attacher les fils restants au fermoir, tel qu'illustré. Attachez les autres extrémités des autres fils de la même façon, en vous assurant que les fils ne sont pas entrecroisés et qu'ils sont disposés parallèlement les uns aux autres. Voilà, votre bracelet est terminé!

tous les goûts
sont dans la nature

Le vert n'est pas votre couleur préférée ? Sachez qu'il
n'y a aucune obligation de reproduire fidèlement mon
modèle. Vous êtes libre d'utiliser les perles de votre choix.
Si vous voulez utiliser de plus grosses perles, essayez de
perler trois fils plutôt que quatre. Et si une couleur unique
ne vous tente pas, combinez-en deux ou plus comme
avec ce bracelet d'améthystes à droite, qui est composé
de bois, de métal et d'améthystes.

De grosses perles
d'améthyste ajoutent
de la classe et attirent
l'attention.

Les perles de bois teintes
sont un lien entre les
améthystes et les perles
de bois régulières.

Les fragments de
cornaline ne sont pas
cher, mais ils ont un
aspect digne des
grandes occasions.

Les breloques
métalliques en forme
de feuille mettent
l'accent sur le thème
naturel choisi.

Les perles de bois
conviennent en de
multiples occasions.

le bracelet classique à fils multiples

Ce bracelet à triple fils est élégant tout en étant assez subtil pour être porté en différentes occasions. Il est destiné à devenir l'un de vos bracelets favoris. Il est présenté dans la combinaison classique or et noir, mais des alternatives sont bien sûr possibles, et elles n'ont de limites que votre propre imagination (voir page 115).

vous aurez besoin de ceci :

outils

Pince coupante
Pince à bec effilé
Pince à sertir
Ruban à mesurer

matériel

Environ neuf perles noires rondes de 8 à 10 mm de longueur

Environ huit perles bi-coniques de 18 mm de longueur

Une poignée de perles en forme de graine

Un fermoir plaqué or pour trois fils

Dix-huit perles d'extrémités plaquées or assez grosses pour les perles de verre noires

Six perles d'arrêt plaquées or

Fil à perler Soft Flex ou l'équivalent

Ruban adhésif transparent

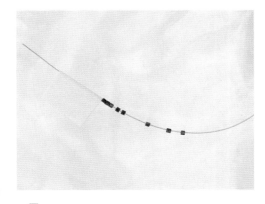

1 Décidez de la longueur de votre bracelet et soustrayez la longueur du fermoir. Coupez trois longueurs de 30 cm (12 pouces) de fil à perler et commencez votre premier fil en repliant un bout de ruban adhésif autour du fil à perler à 5 cm (2 pouces) de son extrémité. Enfilez quelques perles en forme de graine.

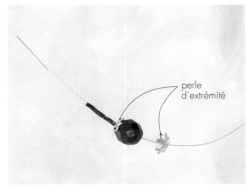

perle d'extrémité

2 Continuez d'enfiler des perles. J'ai ajouté ensuite une perle de verre, avec une perle d'extrémité plaquée or de chaque côté, tel qu'illustré. Les perles d'extrémités attirent l'attention sur la perle et ajoutent une touche de luxe que j'apprécie.

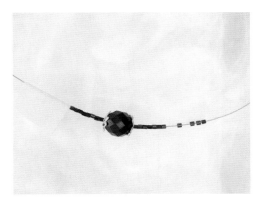

3 Ajoutez encore quelques perles en forme de graine. La quantité dont vous aurez besoin dépend de la taille des perles et de vos préférences personnelles.

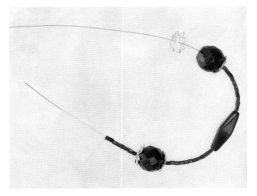

4 Continuez à mettre en place votre motif. J'ai ajouté une perle biconique suivie de quelques autres perles en forme de graine et une autre perle de verre, en me rappelant d'ajouter comme avant les perles d'extrémités.

conseil

J'ai utilisé des perles d'extrémités plaquées or pour ajouter un effet de richesse et de prestige à mon bracelet d'époque, mais vous pouvez obtenir un effet similaire en utilisant des perles de verre qui renferment un élément doré et laisser tomber les perles d'extrémité, si vous préférez.

5 Continuez d'enfiler les perles jusqu'à ce que le premier fil perlé ait la bonne longueur. J'ai ajouté d'autres perles en forme de graine, une autre perle biconique et un dernier groupe de perles en forme de graine. Vous pouvez enfiler les perles dans l'ordre que vous voulez, mais assurez-vous de commencer et de finir avec des perles en forme de graine. Fixez un bout de ruban adhésif à l'extrémité de votre fil perlé.

6 Enfilez des perles sur un deuxième fil de la même façon. Commencez et terminez avec un nombre différent de perles en forme de graine et changez l'ordre d'apparition des grosses perles pour créer un aspect stupéfiant lorsque vous comparerez les deux fils perlés. Vérifiez que les deux fils perlés sont de la même longueur et collez un bout de ruban adhésif à l'extrémité de votre fil perlé.

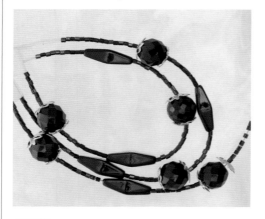

7 Enfilez maintenant les perles sur le troisième et dernier fil, en commençant et en terminant une fois de plus avec perles en forme de graine. Tentez de positionner vos plus grosses perles de façon à ce qu'il n'y ait pas de trous apparents quand les trois fils perlés sont placés côte à côte. N'oubliez pas non plus de placer un bout de ruban adhésif à l'extrémité de votre fil perlé.

8 Chaque fil perlé passera par sa propre boucle avec le fermoir pour trois fils. Attachez les fils dans la portion principale du fermoir un par un, en suivant les instructions pour le sertissage aux pages 68 et 69. Refermez le fermoir et attachez les fils perlés à l'autre section du fermoir dans le même ordre. Le fil perlé du haut dans le trou du haut, celui du centre dans le trou du centre, celui du bas dans le trou du bas. Assurez-vous que les fils ne sont pas entrecroisés. Vous avez maintenant confectionné un bracelet à trois fils que vous pourrez chérir longtemps.

un bracelet pour une princesse

Vous ne serez peut-être pas contentés du noir et or si vous êtes dans un état d'esprit frivole. Ici les perles d'améthyste se combinent bien avec la couleur or pour un bracelet de princesse, alors qu'une variation avec des turquoises offre un aspect plus bohémien.

Des perles en céramique ajoutent de la couleur et du styles.

Des perles en forme de graine procurent un changement de rythme.

Des rondelles polies à la flamme chatoient à la lumière.

Des perles d'extrémités représentent un moyen économique d'ajouter du prestige.

Des perles de cristal plus petites et plus pâles scintillent comme des pierres précieuses.

Le cristal capte la lumière de manière unique.

la magie du métal

Ce bracelet est tout en contrastes. De lourdes perles sur une chaîne légère, des tons sourds d'or et de l'argent brillant. Les perles et la chaîne sont plaquées, mais le bracelet peut être recréé avec des métaux précieux pour plus d'élégance, ou encore avec des perles pendantes de verre, de cristal ou d'acrylique pour davantage de couleur.

vous aurez besoin de ceci :

outils

Pince coupante
Pince à bec effilé
Pince à chapelet

matériel

Une longueur de 19 cm (7 ½ pouces) de chaîne de couleur or, disponible auprès des bijoutiers

Des perles ovales plaquées argentées d'environ 10 mm de longueur, j'en ai utilisé 26

De petites perles en forme de graine de couleur or. (j'en ai utilisé 26)

Des épingles à tête de couleur or assez longues et fines selon le nombre de perles

Quatre autres épingles à tête de couleur or ou un fil fin de couleur or

Deux petites perles de couleur or

Un fermoir à barrette

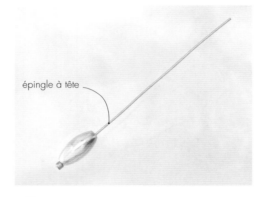

épingle à tête

1 Enfilez une petite perle de couleur or sur une longue épingle et ensuite une de vos perles ovales. La perle de couleur or ajoute une touche décorative et empêche la perle ovale de tomber.

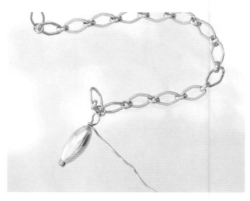

2 Entourez l'épingle au deuxième ou au troisième maillon de la chaîne en suivant les instructions des pages 78 et 79. Prenez le temps qu'il faut pour bien le faire, car votre travail sera très visible une fois le modèle complété.

3 Faites la même chose que nous venons de décrire avec les autres perles, en enroulant le fil des épingles à intervalles le long de la chaîne. La chaîne que j'ai utilisée avait de gros maillons et des petits maillons, et j'ai choisi d'attacher les perles à tous les petits maillons. Tentez de les attacher du même côté du maillon ou en alternant les côtés.

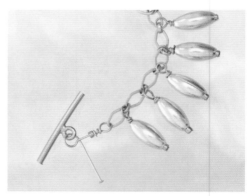

4 Attachez la chaîne au fermoir à chaque extrémité en faisant un double enroulement avec une petite perle couleur or (voir pages 80 et 81). Vous pouvez utiliser des épingles à tête pour faire cela, ou encore une petite longueur de fil à perler couleur or. Votre bracelet est maintenant terminé et vous êtes prêt(e) à étinceler avec lui là où vous irez.

colliers

Les colliers ont de tout temps été utilisés à des fins décoratives ou pour indiquer un rang ou un statut. C'est dans la bible que nous apprenons qu'une chaîne en or faisait partie de l'investiture de Joseph. Comme ils comptent parmi les bijoux les plus imposants et les plus visibles, les colliers ont un très grand effet, ce qui ne veut pas dire qu'ils sont difficiles à réaliser. En fait, leur taille signifie souvent qu'ils sont moins difficiles à confectionner que de petits bracelets ou des boucles d'oreilles, et puisque le fermoir est derrière la tête ou sous de longs cheveux, vous n'avez pas besoin d'une dextérité particulière pour produire un modèle d'une grande beauté qui sera fortement désiré.

tout ce que vous devez savoir à propos des colliers

On peut dire que tout bijou qui se porte autour du cou, d'une longueur allant du collet au lasso, est un collier. Il y a des styles avec de gros morceaux et d'autres avec des pendentifs délicats, des colliers à fils multiples ou à fil unique, des modèles élégants et d'autres ethniques. En fait, le choix est tellement vaste qu'il est difficile de choisir ce que l'on va faire en premier.

La plupart des colliers comprennent un ou plusieurs fils perlés avec un fermoir unique, bien qu'il puisse y avoir des exceptions. Un fermoir pourrait être inutile si le collier est assez long, ou encore vous pourriez perler un très long fil, que l'on nomme un lasso. Voici quelques-unes des options de base.

catégories de colliers

Les **collets** (30-33 cm / 12-13 pouces) sont habituellement composés de fils multiples qui sont bien ajustés dans le milieu du cou. Le style rappelle l'ère victorienne et convient bien aux gilets ou chemises à encolure en V, à encolure bateau ou au bas des épaules.

Les **chokers** (35-40 cm / 14-16 pouces) sont considérés comme étant les colliers de la longueur la plus classique et aussi ceux qui sont les plus versatiles pour des fils perlés uniques. Ils prennent appui juste au-dessus de la clavi-cule et peuvent en conséquence être portés avec toutes les lignes de col que vous pouvez imaginer. Quand j'ai commencé à faire des bijoux, tous mes colliers étaient des chockers.

Les colliers **Princesse** (43-49 cm / 17-19 pouces) sont d'une longueur moyenne très populaire et conviennent bien à une bonne variété de lignes de col, de l'encolure ras du cou au décolleté plongeant. Ils sont également le support parfait pour un pendentif.

Les colliers **Matinée** (50-60 cm / 20-24 pouces) sont plus longs que les colliers Princesse. On les porte habituellement avec des vêtements décontractés ou avec des vêtements de travail.

Les colliers de longueur **Opéra** (70-86 cm / 28-30 pouces) sont le summum des colliers. Ils ont un aspect sophistiqué lorsqu'ils sont portés avec un seul fil, et ils sont parfaits pour une haute encolure ou une encolure ras du cou. Quand ils sont portés en double fil, ils se convertissent en élégants *chokers*.

La longueur corde ou **lasso** (115 cm / 45 pouces ou plus) est la plus longue de toutes. Les cordes peuvent avoir des fermoirs placés à des endroits stratégiques, ce qui permet de les convertir en combinaisons de colliers à multiples fils et de bracelets. Vous pourriez aussi ne pas avoir besoin de fermoir. Les lassos sont de longs fils sans aucun fermoir. Vous pouvez les porter de plusieurs façons, mais ils sont souvent doublés autour du cou, et ensuite les extrémités sont repassées dans la boucle et tirées vers le bas. Ils peuvent aussi être noués sur le devant (voir page 126).

long et voluptueux
Ce collier de la longueur d'un lasso peut être porté long ou doublé ou même triplé (voir pages 146 à 149).

le pouvoir du pendentif

Un coquillage sensationnel en pendentif ajoute du poids à cet adorable collier de longueur matinée (voir pages 150 à 153).

modèles de colliers

Voici huit superbes colliers, tous très différents les uns des autres. Lequel choisirez-vous?

mauve en tête

●○○ 122–125

adorable lasso

●○○ 126–129

femme naturelle

●○○ 130–133

collier de fiesta

●●○ 134–137

perles torsadées

●●○ 138–141

éclat doré

●●○ 142–145

le monde de l'eau

●●● 146–149

rêve des îles

●●○ 150–153

mauve en tête

Confectionné autour d'un thème à couleur unique, ce collier est rapide à faire et facile à porter. C'est un choker d'une longueur de 40 cm (16 pouces) et il utilise un mélange stupéfiant d'améthyste et de jade mauve. Utilisez votre couleur préférée pour créer votre version avec votre choix de combinaison de verre, de cristal, d'acrylique ou de pierres semi-précieuses.

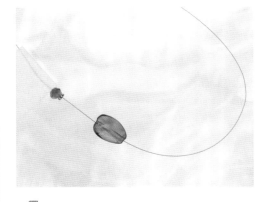

1 Repliez un bout de ruban adhésif à environ 5 cm (2 pouces) à une extrémité du fil à perler pour empêcher les perles de tomber. Enfilez une perle à facettes de 4 mm suivie par un séparateur marguerite et d'une perle ovale, tel qu'illustré.

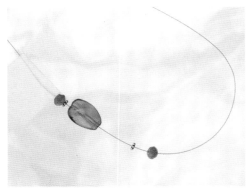

2 Ajoutez un autre séparateur marguerite suivi par une perle à facettes de 4 mm pour compléter une section du motif ou travail de votre propre design, si désiré.

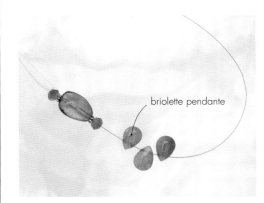

briolette pendante

3 Ajoutez maintenant un groupe de trois briolettes pendantes et positionnez-les tel qu'illustré de façon à former une grappe. Elles se maintiendront dans la position souhaitée quand l'enfilement sera complété.

4 Répétez les étapes 1 à 3 quatre autres fois. Cela vous amène au centre de votre collier. Si vous utilisez des pierres semi-précieuses, les perles seront de tailles variables. Utilisez vos meilleurs spécimens en plein centre à l'avant.

conseil

Lorsque vous utilisez des pierres semi-précieuses ou d'autres matériaux naturels, achetez toujours plus de perles que ce dont vous avez besoin. Les perles naturelles peuvent varier considérablement. Si vous en avez plusieurs sous la main, vous pourrez alors faire une meilleure sélection et placer les perles qui conviennent aux bons endroits.

5 Répétez les étapes 1 à 3 quatre autres fois de plus. Alors que vous progressez à partir du centre que vous avez atteint, vous pouvez vérifier que l'arrangement des perles est équilibré et que le tout produit un effet symétrique de chaque côté.

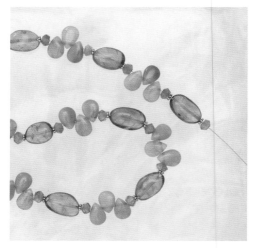

6 Enfilez maintenant une rondelle suivie par un séparateur marguerite et d'une autre perle ovale, d'un séparateur marguerite et de la rondelle final pour compléter l'enfilement.

perle d'arrêt

7 Enfilez une perle d'arrêt argentée et une partie du fermoir. Glissez le fil de nouveau dans la perle d'arrêt et tirer fermement. Complétez le processus du sertissage en suivant les instructions des pages 68 et 69.

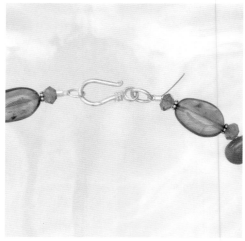

8 Avant d'ajouter l'autre partie du fermoir à l'autre extrémité du fil, vérifiez la longueur du collier en le plaçant devant vous sur votre cou. Refermez le fermoir. Retirez maintenant le ruban adhésif de l'extrémité du fil, ajoutez la perle d'arrêt et sertissez-la à la portion restante du fermoir de la même façon qu'avant. Vous avez terminé.

jour et nuit

Voici deux superbes alternatives confectionnées de la même façon que le collier Mauve en tête. Pour une élégance pure de soirée, combinez du quartz fumé avec de l'or brillant; pour le jour, faites une combinaison de turquoise et d'argent, une combinaison, qui a fait ses preuves et qui se distingue toujours.

Les perles de verre hurricane sont très belles et ne coûtent pas cher.

Des perles melons argentées avec des séparateurs marguerite à chaque bout vont bien avec les briolettes turquoise.

Ces trois briolettes plates sont inégales, ce qui donne un aspect naturel et détendu.

Les perles décoratives de couleur or ajoutent un éclat instantané.

Les perles de quartz fumé à facettes ont un aspect sophistiqué.

adorable lasso

Ce projet amusant a une touche western. Il n'y a pas ici à s'en faire à propos des fermoirs, ce qui fait que le projet est rapide à compléter, et le collier peut être porté de plusieurs façons. Celui-ci est proposé dans une combinaison audacieuse de pêche, de blanc et de turquoise. Vous aussi pouvez concevoir quelque chose de surprenant en combinant vos matériaux de la même façon pour de très beaux résultats.

vous aurez besoin de ceci:

outils

Pince coupante

Pince à sertir

Planche pour perles ou tissu sur lequel disposer vos perles (optionnel)

matériel

Une longueur de 140 cm (51 pouces) de fil à perler Soft Flex ou l'équivalent

Une longueur de 120 cm (47 pouces) de perles assorties. J'ai utilisé des perles de corail, de perles turquoise et des perles d'eau douce

Deux pincées de perles en forme de graine

Environ 50 séparateurs marguerite vermeille de 4 à 5 mm

Deux perles centrales turquoise (les miennes étaient de 8 à 10 mm)

Deux perles d'arrêt couleur or

Ruban adhésif transparent

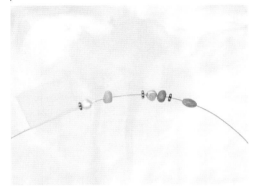

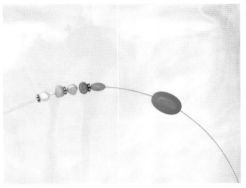

1 Pliez un bout de ruban adhésif à environ 5 cm (2 pouces) d'une extrémité de votre fil à perler pour éviter que les perles tombent. Commencez à enfiler les perles, soit en reproduisant mon modèle ou en créant le vôtre. J'ai commencé avec un séparateur marguerite, une perle blanche, une perle en forme de graine, une perle de corail, un séparateur, une perle rose, une perle turquoise, un séparateur et un tube corail.

2 Une fois quelques perles enfilées, vous pouvez enfiler une perle centrale. J'ai utilisé une grosse perle turquoise lisse ovale qui va chercher la couleur des plus petites perles turquoise.

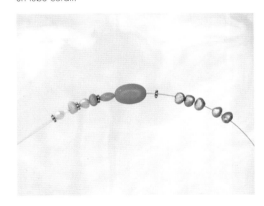

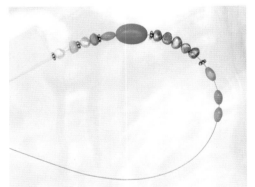

3 La section principale du collier est enfilée en utilisant les différentes perles en groupe de façon à créer un effet. Enfilez un séparateur, cinq perles noires, suivies par un autre séparateur marguerite.

4 Enfilez maintenant le prochain groupe de perles. J'ai ajouté trois tubes de corail pour faire un lien avec les perles de corail du début du collier.

Si vous voulez que votre collier demeure abordable mais qu'il soit tout de même sensationnel, concentrez votre attention et vos sous sur les deux perles centrales près des extrémités. Utilisez des pierres semi-précieuses ou recherchez des perles de verre façon Murano avec du papier or brillant ou du bois à l'intérieur.

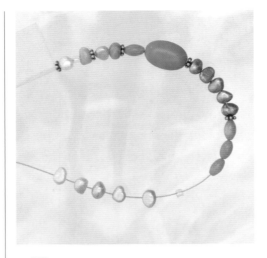

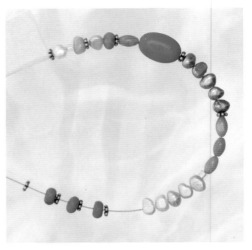

5 J'ai ensuite ajouté une petite perle transparente suivie de cinq ravissantes perles d'eau douce rose pâle. Remarquez le fait que la plupart des perles de ce collier peuvent se retrouver sous l'eau, notamment le corail et les perles, ce qui donne au collier un thème charmant.

6 J'ai ajouté trois rondelles turquoise, en attirant l'attention sur ces trois ravissantes perles en plaçant un séparateur entre chacune d'elle pour l'effet recherché.

7 Cette fois j'ai combiné des perles d'eau douce blanche avec des perles transparentes en forme de graine, en me servant des perles en forme de graine comme séparateurs, tel qu'illustré.

8 Continuez à enfiler d'autres perles de la même façon. Quand vous serez à mi-chemin, soit à environ 60 cm (23 ½ pouces) du point de départ, vous pourrez répéter votre enfilement de perles en sens inverse pour que le tout soit symétrique. Continuez d'enfiler vos perles jusqu'à ce que votre fil perlé soit d'une longueur d'environ 120 cm (47 pouces).

perle d'arrêt

9 Enfilez maintenant une perle d'arrêt suivie par une perle noire. Enfilez de nouveau le fil dans la perle d'arrêt, tel qu'illustré. Tirez sur le fil afin que la perle d'arrêt touche la perle, et servez-vous ensuite de la pince à sertir pour écraser la perle d'arrêt. Coupez le fil excédentaire près de la perle d'arrêt.

10 Enlevez le ruban adhésif de l'autre extrémité du fil et enfilez une perle d'arrêt suivie par une perle noire. Répétez l'étape 9 pour compléter le lasso.

coordonner et assortir

Changez de perles et vous obtiendrez un aspect tout à fait différent. Qui aurait pensé que ces alternatives auraient été conçues de la même façon que le lasso turquoise et corail?

Des boules argentées ajoutent de l'éclat.

Des perles rouges brillant en acrylique ajoutent du volume à peu de frais.

Des disques de bois offrent un changement de rythme.

Femme naturelle

Les perles de bois sont disponibles dans une variété de belles couleurs, de la couleur crème à la couleur chamois et de la couleur acajou au noir. Elles ont de plus une surface merveilleusement soyeuse. Tirez le meilleur parti que vous offre toute cette variété avec un collier à fils multiples qui utilise une grande sélection de perles pour un fini très agréable au toucher.

vous aurez besoin de ceci :

outils

Pince coupante

Pince à sertir

matériel

Une longueur de 230 cm (90 pouces) de fil à perler Soft Flex ou l'équivalent

Une longueur de 43 cm (17 pouces) de perles de bois pâle de 4 mm

Une longueur de 46 cm (18 pouces) de perles de bois de coupe grossière de 5 mm

Une longueur de 48 cm (19 pouces) de perles de bois sculptées de 6 à 8 mm

Une longueur de 51 cm (20 pouces) de perles de bois carrées plates de 15 mm

Une poignée de perles de verre brunes de 3 mm

Neuf perles de couleur or de 10 mm de longueur

Huit perles d'arrêt de couleur or d'une taille qui convienne à votre fil à perler

Un large fermoir à barrette

Ruban adhésif transparent

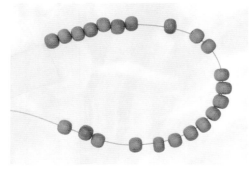

1 Ce collier comprend quatre fils, soit un de 43 cm (17 pouces), un de 46 cm (18 pouces), un de 48 cm (19 pouces) et un de 51 cm (20 pouces). Commencez par enfiler le fil le plus court. Pour cela, coupez une longueur de fil à perler de 53 cm (21 pouces) et pliez un bout de ruban adhésif à environ 5 cm d'une extrémité. Commencez en enfilant des perles de bois pâle de 4 mm.

2 Continuez d'enfiler les perles de bois pâle jusqu'à ce que votre fil perlé ait atteint une longueur de 43 cm (17 pouces). Ajoutez un bout de ruban adhésif à l'autre extrémité pour empêcher les perles de tomber et placez ce fil perlé de côté.

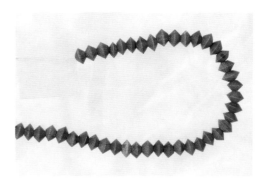

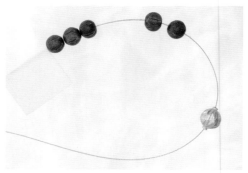

3 Coupez une longueur de fil à perler de 56 cm (22 pouces) et pliez un bout de ruban adhésif à environ 5 cm (2 po) d'une extrémité. Commencez à enfiler des perles de bois de coupe grossière de 5 mm jusqu'à ce que vous ayez atteint une longueur de 46 cm (18 pouces) ou la longueur désirée. Comme avant, ajoutez un bout de ruban adhésif à environ 5 cm d'une extrémité et placez ce fil perlé de côté.

4 Coupez une longueur de fil à perler de 58 cm (23 pouces) et pliez un bout de ruban adhésif à environ 5 cm d'une extrémité. Commencez à enfiler les perles de bois sculptées. Ajoutez une perle de couleur or après chaque 5 perles sculptées.

conseil

J'ai utilisé un simple fermoir à barrette pour plus de simplicité, mais vous pourriez aussi bien utiliser un fermoir pour fils multiples, ce qui aide à maintenir les fils séparés et en position. Une autre possibilité est d'ajouter un séparateur juste avant le fermoir (voir pages 74 et 75).

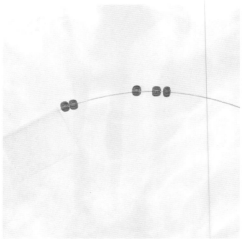

5 Continuez à enfiler les perles dans la même séquence jusqu'à ce que vous ayez atteint une longueur de 48 cm (19 pouces) ou la longueur désirée. Comme avant, pliez un bout de ruban adhésif à environ 5 cm d'une extrémité pour empêcher les perles de tomber et placez ce fil perlé de côté avec les autres.

6 Vous pouvez maintenant enfiler votre dernier fil. Coupez une longueur de fil à perler de 61 cm (24 pouces) et pliez un bout de ruban adhésif à environ 5 cm d'une extrémité. Commencez par enfiler les perles de verre brunes.

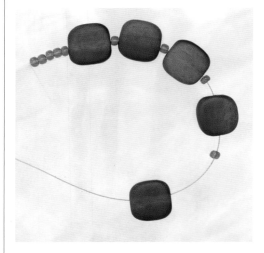

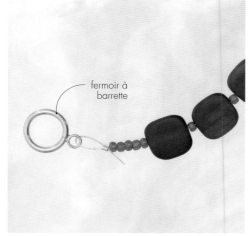

fermoir à barrette

7 Ajoutez une perle carrée plate suivie par une perle de verre, et ainsi de suite jusqu'à ce que vous ayez presque atteint une longueur de 51 cm (20 pouces) ou la longueur désirée. Enfilez cinq perles de verre pour finir. Ne pliez pas de bout de ruban adhésif sur l'autre extrémité de ce fil.

8 Continuez de travailler avec le plus long fil perlé. Enfilez une perle d'arrêt. Passez le fil dans le fermoir à barrette et de nouveau dans la perle d'arrêt. Écrasez enfin la perle d'arrêt pour bien attacher le fil (voir pages 68 et 69).

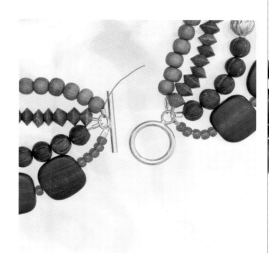

une occasion pour économiser

Des colliers comme celui-ci, qui utilisent une variété de perles, sont une très bonne occasion d'utiliser les perles qui vous restent, alors jetez un coup d'œil dans votre boîte de perle et voyez ce que vous pouvez y trouver. Vous pouvez ajouter aux perles que vous avez des perles en forme de graine, des perles de verre ou encore de métal. Vous serez surpris(e) de ce que vous pourrez créer.

De longues perles métalliques ajoutent de la variété.

Les perles de couleurs chaudes vous procureront un sentiment de détente et de confort.

Des perles jaunes à facettes brillent dans la lumière, ce qui attire l'attention.

9 Attachez l'autre partie du fil à la deuxième partie du fermoir de la même façon, en vous assurant que les perles sont bien les unes contre les autres avant de sertir.

10 En travaillant du fil perlé le plus long au plus court, répétez les étapes 8 et 9 pour attacher les fils restants au fermoir un à un. Assurez-vous que les fils ne sont pas entortillés. Les quatre fils perlés sont maintenant sertis sur un seul fermoir. Le collier devrait tomber en étage autour de votre cou.

Des perles en forme de graine servent de «coussin» pour les plus grosses perles, ce qui est une bonne idée à appliquer avec les pierres semi-précieuses.

collier de fiesta

Orné d'une combinaison magnifique de briolettes, de rondelles, de perles rondes et de perles en forme de graine, ce collier somptueux déborde de couleurs et est un excellent moyen d'utiliser une quantité de petites perles que vous mettiez de côté pour ce projet spécial. Ce collier a une longueur Princesse de 43 à 48 cm (17 à 19 pouces).

VOUS aurez besoin de ceci :

outils

Pince coupante

Pince à sertir

Planche pour perles ou tissu pour étaler les perles (optionnel)

matériel

Une longueur de 66 cm (26 pouces) de fil à perler Soft Flex ou l'équivalent

Une perle pendante de 20 mm (j'ai utilisé une briolette de quartz jaune citron à facettes)

De petites briolettes pendantes assorties (j'ai utilisé des briolettes péridots et bleue topaze de 8 mm et des briolettes aigue-marine de 5 mm)

Une poignée de perles rondes de 2 à 3 mm en iolite bleu, aigue-marine et péridots verts

Une poignée de rondelles de 3 à 5 mm en grenat, apatite, aigue-marine et quartz bleu

Six perles de 8 à 10 mm en cornaline

Une poignée de perles en forme de graine de couleur or

Six séparateurs de couleur or

Deux perles d'arrêt dans les tons or

Un fermoir à barrette de couleur or

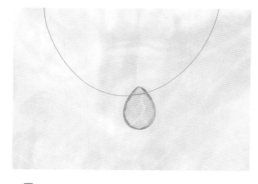

1 Quand je fabrique des colliers avec un pendentif au centre, j'aime travailler à partir du centre vers les côtés. De cette façon, vous pouvez rendre votre modèle symétrique. Vous enfilerez donc vos perles des deux côtés, alors veillez à ce que vos perles ne tombent pas. Commencez par enfiler vos perles sur la grosse perle centrale.

2 Ce collier a un modèle choisi au hasard, mais j'ai tout de même pris soin de répartir les couleurs et de ne pas placer deux perles de couleurs trop proches côte à côte. Travaillez à partir du centre, formant des paires de perles en les plaçant de chaque côté de la perle centrale. Créez une combinaison de grosses, de petites et de moyennes perles.

3 Continuez à travailler vers le haut de chaque côté de votre collier, créant une variété de couleurs et de formes. Placez les perles distinctives, comme les cornalines rouges et les topazes bleues à des intervalles réguliers.

4 Continuez à travailler ainsi, vérifiant de temps à autre que l'effet obtenu est symétrique. Servez-vous de ces images et de la photo grand format si vous souhaitez reproduire mon modèle intégralement.

•••••• ➤

conseil

Les délicates pierres semi-précieuses que l'on retrouve sur ce collier méritent des soins particuliers. Trouvez-vous un napperon à perler ou une planche pour perles avec une surface douce, ce qui aidera à protéger les perles et les empêchera de rouler en bas de la table et d'être perdues pour toujours dans un tapis à longs poils. J'ai même déjà perdu des perles alors qu'elles étaient tombées dans une poubelle trop remplie sous mon bureau.

5 Travaillez en remontant le fil, en tentant de choisir une sélection de perles plaisantes apparemment au hasard et en mélangeant les briolettes avec des perles rondes. Vérifiez régulièrement que les deux côtés sont bien identiques. C'est vraiment facile de rater une perle.

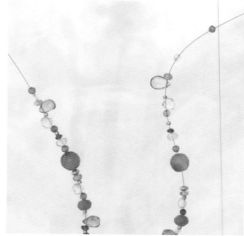

6 Vous avez presque fini. Vérifier la longueur du collier avant d'ajouter les perles finales – ma version du collier avait une longueur de 55 cm (22 pouces).

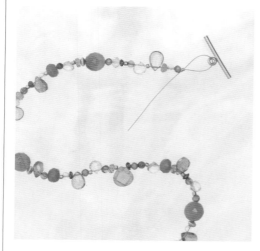

7 Lorsque vous avez atteint une extrémité, enfilez une perle d'arrêt de couleur or. Passez le fil dans la boucle du fermoir à barrette et de nouveau dans la perle d'arrêt. Tirez sur le fil et écrasez la perle d'arrêt avec votre pince è sertir pour bien attacher le fil (voir pages 68 et 69).

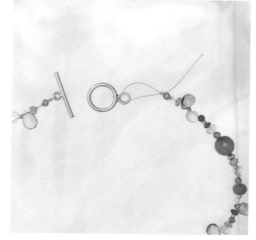

8 Attachez solidement l'autre extrémité du fil perlé à la deuxième partie du fermoir de la même façon. Votre stupéfiant collier est maintenant terminé. Portez-le avec fierté en sachant que vous l'avez confectionné vous-même.

Les perles de cristal à
facettes conviennent
parfaitement aux
tenues de soirée.

Les séparateurs
marguerite de
couleur or ajoutent
du clinquant.

Vous n'avez besoin que
de quelques perles
brillantes pour créer
de l'effet.

Dépensez de l'argent
pour une très belle
perle centrale. Celle-
ci est en quartz fumé.

La couleur or paraît
toujours bien.

gros et voyant

Les perles délicates qui composent le collier de
fiesta sont très belles mais si vous n'avez pas
déjà les perles mentionnées, vous n'avez pas
besoin de les acheter absolument. N'ayez
jamais peur d'utiliser les perles que vous avez
déjà, même si elles sont bien plus grosses.
L'effet sera certainement différent, mais
n'en sera pas moins spectaculaire.

Cette large perle fait
une très bonne perle
centrale.

perles torsadées

Maintenant qu'il y a sur le marché tant d'adorables perles parmi lesquelles choisir, et ce dans tous les prix (voir pages 38 et 39), il peut être difficile de déterminer quelles sont celles que vous aimez le plus. Ce collier branché de perles torsadées résoud vite ce problème en utilisant trois types de perles, et vous pouvez en ajouter encore davantage, si le cœur vous en dit.

vous aurez besoin de ceci :

outils

Pince coupante

Pince à sertir

matériel

Du fil à perler Soft Flex ou l'équivalent, ou pour des perles véritables utilisez un fil et faites un nœud entre chaque perle (voir pages 70 à 73)

Une longueur de 40 cm (16 pouces) de fragments de nacre

Une longueur de 40 cm (16 pouces) de perles de 4 mm (véritables, d'eau douce, ou fausses)

Une longueur de 40 cm (16 pouces) de perles de 10 mm (véritables ou fausses)

Plusieurs poignées de perles translucides en forme de graine

Deux cônes couleur argentée de 18 mm de longueur et suffisamment large pour contenir trois fils perlés se terminant avec des perles en forme de graine

Un fermoir couleur argentée

Ruban adhésif transparent

perle en forme de graine

1 Coupez trois longueurs de fil à perler d'au moins 71 cm (28 pouces) de longueur. Pliez un bout de ruban adhésif à 5 cm (2 pouces) d'une extrémité de la première longueur pour empêcher les perles de tomber, et commencez à enfiler suffisamment de perles en forme de graine de façon à obtenir la même longueur que le cône ou un peu moins 6 à 8 perles devraient être suffisantes.

2 Commencez maintenant à enfiler votre premier type de perle, comme les fragments de nacre. Je n'ai utilisé qu'un type de perle ou de coquillage pour chaque fil, mais vous pouvez aussi bien mélanger et assortir vos perles, en utilisant peut-être différents tons du même type de perle pour chaque fil.

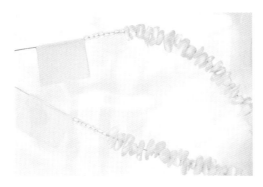

3 Finissez d'enfiler vos perles, en ajoutant le même nombre de perles en forme de graine qu'au début du fil. Fixez maintenant un autre bout de ruban adhésif et placez ce fil perlé de côté.

4 Prenez votre deuxième fil à perler, pliez un bout de ruban adhésif à 5 cm (2 pouces) d'une extrémité et commencez à enfiler les perles en forme de graine comme pour le fil précédent. Vous pouvez choisir d'enfiler le même nombre de perles, ou un peu plus ou un peu moins.

conseil

Une fois que vous avez enfilé votre premier rang de perles, insérez un cône à l'extrémité et vérifiez l'effet. Si vous voyez qu'il y a un trop grand nombre de perles en forme de graine sur le fil, enlevez-en quelques-unes et enfilez sur les autres fils un nombre de perles identique réduit.

5 Enfilez maintenant votre deuxième type de perles principales, dans ce cas des perles de 10 mm. Enfilez-en suffisamment afin que votre fil perlé soit environ de la même longueur que le premier lorsque vos perles en forme de graine à l'autre bout du fil seront enfilées.

perles en forme de graine

6 Enfilez les perles en forme de graine et fixez un bout de ruban adhésif pour empêcher les perles de tomber.

7 Enfilez votre troisième et dernier fil exactement comme les deux autres, en commençant et en terminant avec les perles en forme de graine. Cette fois, utilisez les perles de 4 mm.

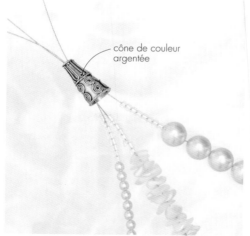

cône de couleur argentée

8 Voici maintenant la portion délicate du collier. Retirez le ruban adhésif des extrémités des trois fils perlés et passez les trois extrémités des fils dans un des cônes, tel qu'illustré. Tenez les fils fermement. Vous ne voudriez surtout pas échapper vos perles.

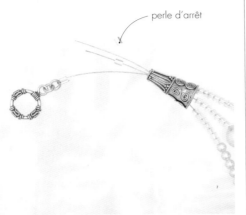

perle d'arrêt

9 Servez-vous de la technique de sertissage expliquée aux pages 68 et 69 pour relier chaque fil perlé avec la première partie du fermoir, en tirant les fils autant que vous pouvez de façon à obtenir un beau fini. Cette opération peut être peu commode, alors prenez bien votre temps.

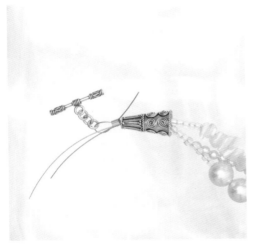

10 Si désiré, tortillez les fils perlés ensemble avant d'ajouter le fermoir à l'autre bout. Faites des expériences pour voir ce qui convient le mieux à vos perles. Répétez les étapes 8 et 9 pour attacher le cône et la deuxième portion du fermoir aux extrémités de vos trois fils perlés.

falsifiez votre collier

Les perles véritables peuvent donner une apparence formelle, alors si elles ne conviennent pas à l'occasion, utilisez des fausses perles. Elles sont disponibles dans une variété de couleurs fabuleuses, et peuvent avoir l'air vrais comme elles peuvent être clinquantes. Enfin, vous n'aurez pas besoin de sacrifier vos économie pour les acheter.

Ces perles possèdent une surface brillante, presque poudreuse.

Assurez-vous d'avoir sous la main de plus petites perles pour combler les écarts.

Ces perles ont un fini métallique qui attire l'attention.

Quelques grosses perles ajoutent un effet de texture.

éclat doré

Peu de combinaisons sont aussi belles et luxueuses que l'or et l'ambre, ce qui explique pourquoi ce collier à perles ambrées en pendentif est si fantastique. Vous n'aurez besoin que de huit perles ambrées en plus d'une longueur de chaîne assez grosse et très belle, disponible auprès de certains bijoutiers au mètre (ou à la verge).

vous aurez besoin de ceci :

outils

Pince coupante

Pince à bec effilé

Pince à bec rond ou à chapelet

matériel

Une large perle ovale ambrée d'environ 20 mm de longueur

Sept plus petites perles ambrées d'environ 10 à 15 mm de longueur assorties en paires sauf pour une perle (voir paragraphe sur la gauche)

Une chaîne couleur or de 65 cm (26 pouces) de longueur

Une longue épingle à tête fine de couleur or et une bonne longueur de fil à perler couleur or ou une dizaine d'épingles à tête de couleur or

Seize perles d'extrémités de couleur or d'une taille qui convient pour vos perles

Deux petites perles couleur or

Un fermoir couleur or (j'ai utilisé un fermoir à barrette qui est assorti à la forme ovale des maillons de la chaîne)

la courbe fait face vers le haut

1 Chaque perle a une perle d'extrémité de couleur or de chaque côté pour créer un aspect luxueux et pour cacher les trous dans les perles. Commencez par enfiler la première perle d'extrémité sur une longue épingle à tête fine, la courbe faisant face vers le haut.

2 Enfilez votre grosse perle ambrée. Elle devrait reposer de belle façon dans la courbe de la perle d'extrémité. Enfilez votre seconde perle d'extrémité avec la courbe faisant face à la perle et poussez-la contre la perle.

épingle de tête enroulée

3 Vous pouvez soit attacher cette perle directement à la prochaine tel qu'illustré sur la photo grand format (voir l'image de gauche) ou la joindre avec un maillon de chaîne. Pour l'attacher directement au prochain maillon, enroulez le fil (voir pages 78 et 79). Pour utiliser un maillon, coupez d'abord un maillon de la chaîne et enroulez la perle à ce maillon. Coupez l'extrémité de l'épingle de tête près du fil enroulé.

4 Prenez une longueur de fil de 10 cm (4 pouces) ou une longue épingle de tête et glissez-y une perle d'extrémité, la perle ambrée unique et une deuxième perle d'extrémité, avec la perle d'extrémité courbée vers la perle. Attachez le fil au maillon de chaîne attaché à la première perle (ou à la boucle enroulée) et ensuite à un deuxième maillon de chaîne selon les instructions des pages 80 et 81.

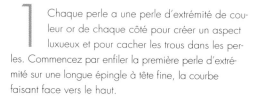

conseil

La plupart des perles sont vendues en groupes. Pour éviter d'acheter deux paquets, un pour la grosse perle centrale et un autre pour les perles restantes, recherchez un paquet qui contient des perles de différentes grosseurs, comme c'est souvent le cas pour les pierres semi-précieuses et les autres perles faites de matériaux naturels.

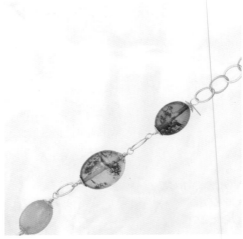

trois perles attachées au même maillon de chaîne

5 Attachez deux perles identiques au maillon, chacune avec une perle d'extrémité de chaque côté. Attachez un maillon à chaque extrémité libre de chaque perle, suivie par une autre perle ambrée, un autre maillon et les dernières perles ambrées. Vous avez créé un modèle splendide en forme de Y avec une grosse perle tombante à la fin.

6 Coupez deux longueurs de chaîne de 30 cm (12 pouces) ou selon votre longueur préférée, et joignez chaque longueur à chacune des perles ambrées du haut du collier en enroulant le fil comme avant. Coupez les extrémités du fil près des perles.

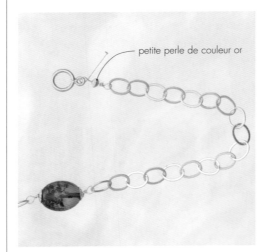

petite perle de couleur or

7 Utilisez une longueur de 5 cm (2 pouces) de fil à perler de couleur or ou une longue épingle à tête pour enrouler l'extrémité libre d'une chaîne avec la section de l'anneau du fermoir, en utilisant la petite perle couleur or tel qu'expliqué en détail dans les pages 80 et 81.

8 Attachez la section de la barrette du fermoir à l'autre extrémité de la chaîne de la même façon pour créer un collier spectaculaire qui mérite une place de choix dans votre coffret à bijoux. Vous pouvez être fière de vous.

chaleureux et merveilleux

Peut-être ne pourrez vous pas mettre la main sur le même matériel que moi, ou encore choisirez-vous d'autres couleurs ou matériaux. Mais que vous utilisez des perles ambrées ou des améthystes, des pierres semi-précieuses, des perles de verres ou encore de résine, ce modèle stupéfiant ne vous décevra pas.

Les cornalines sont moins chères que les perles ambrées mais sont tout aussi belles.

Les fournitures dorées sont somptueuses.

Du fil et perles d'extrémités argentées ont été utilisés dans cet exemple, mais le laiton conviendrait davantage avec ces perles.

Ces perles décoratives en verre ont un morceau de métal qui les traverse pour plus de brillance.

conseil

Si vous ne pouvez pas trouver de perles dans deux tailles différentes ou plus comme dans mon collier original, vous pourriez n'utiliser qu'une taille tout au long du collier, comme je l'ai fait pour le collier ci-dessous avec les perles de verre. Vous pourriez aussi choisir une taille de perle complètement différente pour la perle centrale, comme le fabuleux verre Murano, et utiliser des perles assorties plus simples pour les autres.

le monde de l'eau

Ce long collier inspiré des mers profondes et des eaux tropicales incorpore des turquoises, du bois, du corail et du cristal de roche parsemé avec une chaîne couleur or. Il peut être porté en un seul long fil, en double ou même en triple pour un aspect plus imposant. Le dur labeur qui vous attend offre une grosse récompense à la fin.

vous aurez besoin de ceci :

outils

Pince coupante

Pince à sertir

Pince à bec effil

Pince à bec rond ou à chapelet

matériel

Fil à perler Soft Flex ou l'équivalent

Environ 14 pépites turquoise d'à peu près 20 mm de longueur

Rondelles de corail heshi d'environ 4 à 6 mm de longueur ou l'équivalent

14 cylindres de corail de forme irrégulière d'environ 9 mm de longueur ou l'équivalent

Huit rectangles à facettes de cristal de roche d'environ 10 mm de longueur

Environ 13 perles de bois de palmier de 6 à 8 mm de longueur et six perles de bois de palmier de 7 à 8 mm de longueur

Quatre larges perles vermeilles (or) de 10 mm de longueur

Des séparateurs marguerite vermeils (or)

Une longueur de 35 cm (14 pouces) de chaîne couleur or à maillons de taille moyenne

Perles d'arrêt de couleur or

Fermoir ovale filigrané de couleur or

Fil à perler de calibre 24 couleur or et épingles de tête

Ruban adhésif transparent

1 Coupez sept longueurs de 5 cm (2 pouces) de chaîne. Même si vous n'en avez pas besoin au complet en ce moment, c'est plus simple qu'elles soient déjà prêtes. Coupez une petite longueur de fil à perler et enfilez quelques perles. J'ai combiné des pépites turquoise et des perles de bois de palmier.

faites le lien ici

2 Commencez à attacher les perles à la première longueur de chaîne. Pour ce faire, enfilez une perle d'arrêt et passez ensuite le fil dans la première boucle de la chaîne et de retour dans la perle d'arrêt. Tirez fermement et sertissez (voir pages 68 et 69).

enroulement avec fil

3 De l'autre côté de la chaîne, attachez une perle en utilisant un enroulement avec fil, selon les instructions des pages 78 à 81. Si la perle est courte, vous pourriez utiliser une épingle à tête mais pour les perles plus longues, vous devrez utiliser une longueur de fil à perler doré.

4 Continuez d'enfiler les perles de la même façon jusqu'à ce que vous ayez une longueur de 8 à 12 cm (3 à 5 pouces) de perles attaches avec fil à l'extrémité de la chaîne. Ajoutez des séparateurs ou des perles d'extrémités si désiré pour un effet luxueux.

conseil

Tous ne sont pas d'accord avec l'utilisation du corail dans leurs bijoux. Il existe plein d'autres alternatives parmi lesquelles choisir, mais si vous voulez continuer avec les pierres semi-précieuses, il y a des cornalines, du jaspe rouge et même des perles cuivrées. (Les perles sont disponibles dans une variété de couleurs très en demande et sont étonnamment peu chères si vous achetez les perles d'eau douce.)

5 Vous pouvez maintenant attacher une autre longueur de fil à perler à la dernière perle attachée avec un enroulement de fil et enfiler encore d'autres perles. Utilisez une perle d'arrêt couleur or pour attacher environ 13 à 18 cm (5 à 7 pouces) de fil à perler.

6 Enfilez un arrangement de perles. J'ai utilisé une combinaison adorable de pépites turquoise en alternant avec de petites rondelles de corail heshi. Votre fil perlé devrait avoir une longueur de 8 à 13 cm (3 à 5 pouces).

7 Il est maintenant temps d'attacher une autre longueur de chaîne. Sertissez l'extrémité de votre fil à perler avec le premier maillon de la chaîne, en tirant les perles avant de le faire. À l'autre bout de la chaîne, commencez à ajouter des perles attachées avec du fil.

8 Vous pouvez quelquefois enrouler un groupe de perles avec du fil en les traitant comme si c'était une perle unique, tel qu'illustré. J'ai utilisé une épingle à tête dorée dans cet exemple, mais si vos perles sont plus longues, vous devrez utiliser un fil à perler doré, qui est également moins cher. Si vous êtes un(e) débutant(e), coupez une bonne longueur de fil à perler pour vous donner assez de marge de manœuvre.

conseil

Si votre enroulement avec fil n'a pas une aussi belle apparence que vous le souhaiteriez, c'est peut-être parce que votre fil à perler est trop épais. Plus le fil à perler doré ou les épingles à tête sont fins, plus l'enroulement sera réussi. Cependant, si vous choisissez un fil trop fin, vos bijoux seront extrêmement délicats. Je considère que le fil de calibre 24 est l'idéal.

9 Lorsque vous aurez atteint une longueur d'environ 8 à 12 cm (3 à 5 pouces) de perles attachées avec du fil, vous pouvez ajouter encore davantage de perles enfilées, en les sertissant avec la dernière perle attachée avec du fil, tel qu'illustré. Cette fois j'ai ajouté une variété de perles, incluant une perle vermeille qui va bien avec le fermoir doré.

10 Continuez de la même façon, en ajoutant un bout de chaîne couleur or, des perles attachées avec du fil et des perles enfilées et placer une perle vermeille à chaque 20 à 40 cm (8 à 16 pouces). Répartissez d'autres perles distinctives de façon égale autour de votre collier.

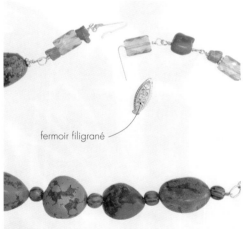

fermoir filigrané

11 Le collier fini a une longueur de 127 cm (50 pouces), alors continuez d'ajouter des perles jusqu'à ce que vous ayez atteint cette longueur ou la longueur que vous désirez, en terminant avec des perles attachées avec du fil à chaque extrémité, ce qui vous assure de pouvoir attacher le fermoir rapidement et de belle façon.

12 Attachez chaque partie du fermoir à chaque extrémité du collier avec un enroulement de fil. J'ai choisi un fermoir filigrané afin qu'il puisse être camouflé dans le collier. Il pourrait même se retrouver sans problème sur le devant. Il s'agissait d'un projet difficile, mais vous y êtes arrivé(e). Portez-le maintenant jusqu'à votre taille ou enroulez-le plusieurs fois autour de votre cou pour un aspect tout à fait différent.

rêve des îles

Des palmiers, des plages dorées, une brise marine apaisante et des rayons de soleil peuvent tous être réunis dans la fabrication de ce collier de coquillage, qui comprend un adorable pendentif en coquillage, des perles de nacre scintillantes et des pépites de citrine qui sauront capturer la chaleur du soleil.

VOUS aurez besoin de ceci :

outils

Pince coupante

Pince à sertir

matériel

Une longueur de 112 cm (44 pouces) de fil à perler Soft Flex ou l'équivalent

Un pendentif en coquillage d'environ 48 mm de longueur

Quatre pépites de citrine d'environ 12 à 16 mm de longueur

Une bonne poignée de perles en forme de graine jaune de 4 mm pour faire le lien avec la couleur des citrines

Une bonne poignée de perles de nacre rondes de 4 mm

Deux perles d'arrêt de couleur or

Un fermoir en pince de homard de couleur or

Une longueur de 50 mm de chaîne couleur or à maillons de taille moyenne

Une petite longueur de fil à perler de couleur or

Ruban adhésif transparent

1 Mon collier a deux fils de 46 cm (18 pouces) de longueur alors j'ai coupé deux longueurs de 56 cm (22 pouces) de fil à perler pour me permettre de sertir les extrémités. Enfilez les deux fils à travers le pendentif en coquillage et glissez-le ensuite au milieu.

2 Rapprochez les deux extrémités des deux fils d'un même côté et enfilez les pépites. Si désiré, ajoutez des perles en forme de graine entre les pépites comme je l'ai fait pour la version dont la photo apparaît sur la gauche.

perle de nacre —

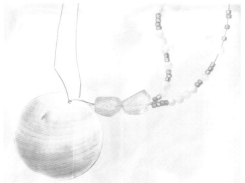

3 Séparez maintenant les deux fils et enfilez les perles sur chaque fil de façon séparée. Complétez d'abord un fil, en suivant un modèle établi ou en y allant au hasard. J'ai combiné des perles en forme de graine jaune et des perles de nacre. Quand le fil perlé atteint une longueur de 22,5 cm (9 pouces), pliez un bout de ruban adhésif sur son extrémité.

4 Enfilez les perles sur le second fil du même côté de la même façon, en utilisant le même type de modèle (au hasard ou selon un modèle établi), comme pour le premier fil. Lorsque le fil perlé est de la même longueur que le premier fil, pliez un bout de ruban adhésif à son extrémité pour empêcher les perles de tomber.

conseil

Le pendentif est la caractéristique dominante de ce collier. Achetez-le en premier et choisissez d'autres perles assorties par la suite. J'ai utilisé des perles de citrines pour évoquer la chaleur du soleil et du sable, mais si cette couleur ne s'harmonise pas bien avec votre pendentif, n'hésitez pas à choisir une pierre différente.

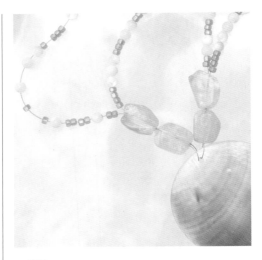

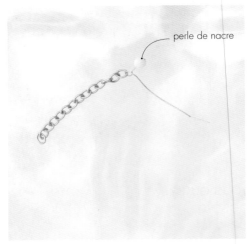

perle de nacre

5 En vous reportant aux étapes 2 à 4, enfilez les deux fils de l'autre côté de la même façon, en commençant avec une paire de pépites de citrine équilibrées, tel qu'illustré.

6 Glissez une perle sur une épingle à tête dorée et attachez-là à la longueur de 50 mm (2 pouces) de chaîne couleur or, tel qu'illustré, selon les instructions des pages 78 et 79. J'ai utilisé une perle de nacre, mais vous pouvez prendre celle que vous préférez.

les deux fils passent dans une perle d'arrêt

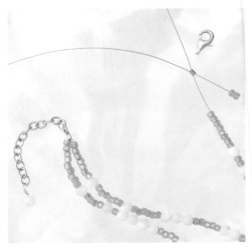

7 Attachez l'autre extrémité de la chaîne aux deux extrémités d'un de vos fils perlés. Pour faire cela, glissez les deux extrémités dans une perle d'arrêt et ensuite dans le maillon de queue de la chaîne, et de nouveau dans la perle d'arrêt. Tirez fermement et servez-vous de vos pinces à sertir pour écraser la perle d'arrêt (voir les pages 68 et 69 pour plus de détails).

8 Passez les deux autres extrémités de fil dans une seconde perle d'arrêt, tel qu'illustré. Passez-les dans la boucle du fermoir en pince de homard et de nouveau dans la perle d'arrêt. Sertissez pour compléter votre collier de rêve.

petit et large

Le design de ce collier convient bien à toutes les sortes de médaillons et de pendentifs de toutes tailles et formes, qu'ils soient en coquillage ou en d'autres matériaux complètement différents. Le pendentif rectangulaire à droite a un aspect élégant lorsqu'il est associé avec des perles en deux couleurs, alors que le médaillon large ci-dessous à gauche a un style funky qui fonctionne bien avec son fil métallique.

De petites perles de cristal en deux couleurs vont chercher le motif du pendentif.

Un fil argenté ajoute de l'éclat en un instant.

Ces perles de style osseux vont vraiment bien avec ce modèle.

Ce pendentif moderne bien large bénéficie d'un traitement minimaliste.

conseil

Fabriquez votre propre pendentif pour ce modèle en enfilant une large perle sur une longue épingle de tête et en suivant les instructions des pages 78 et 79. Enfilez ensuite vos deux fils à perler dans la boucle que vous aurez faite avec le fil et voilà le travail.

modèles
rapides
et faciles

tout ce qu'il faut savoir à propos des projets

Bon nombre des modèles de Maya Brenner que vous avez pu voir dans les pages précédentes sont assez faciles à réaliser, mais si vous voulez quelque chose de vraiment facile, nous vous suggérons de faire votre choix parmi cette collection, inspirée des bijoux de Maya, qui sont parfaits pour les débutant(es). Chaque projet se fait en quatre étapes bien simples.

Cette collection de boucles d'oreilles, de bracelets et de colliers a été testée par des débutant(es). Si vous manquez de confiance, commencez alors par cette collection.

les boucles d'oreilles incroyablement faciles

Les quatre modèles de boucles d'oreilles présentés dans cette section sont faciles à faire, et n'importe qui peut fabriquer ces créoles perlées (pages 158 et 159) et ces créoles à feuilles (pages 160 et 161) qui sont si simples que vous n'aurez même pas besoin d'outils spécialisés. Tous ces projets peuvent être complétés en moins de 30 minutes, et certains encore plus rapidement.

bracelets de base brillants

Les bracelets sont un peu plus longs à faire que les boucles d'oreilles, simplement parce qu'ils nécessitent plus de perles. Cependant, vous n'aurez pas besoin d'outils pour travailler avec les bracelets à spirale des pages 166 et 167 et grâce à leurs grosses perles, le bracelet à gousses et le bracelet à perles de bois des pages 168 à 171 peuvent se compléter très rapidement.

Les colliers sans difficultés

Les colliers sont les modèles les plus compliqués de cette section parce que vous devrez ajouter les fermoirs et que vous utiliserez beaucoup plus de perles. Mais une fois les projets divisés en étapes, vous verrez qu'ils sont très simples et directs. Même le collier exotique à fils multiples des pages 176 et 177 est facile quand vous savez comment faire. Tout ce que vous avez à faire est d'enfiler quatre fils de différentes longueurs avec les perles que vous aimez et de les attacher au fermoir. Ça ne pourrait être plus simple.

beauté naturelle

Mettant en valeur des perles en forme de graine, du métal, du verre et du cuir, cet exemple de collier confectionné à partir des merveilles de la nature est étonnamment rapide à faire. De plus, la chaîne le rend aisément ajustable.

projets de boucles d'oreilles

jeune bohémienne

158–159

fée des jardins

160–161

tigresse

162–163

reine des perles

164–165

projets de bracelets

princesse indienne

166–167

déesse du feu

168–169

nymphe des bois

170–171

diva du désert

172–173

projets de colliers

exploratrice aztèque

174–175

impératrice orientale

176–177

oiseau bleu

178–179

reine africaine

180–181

jeune bohémienne

Ces grosses boucles d'oreilles ne peuvent faire autrement qu'attirer l'attention sur elles. Elles sont décontractées et faciles à porter, et peuvent être confectionnées en moins de 30 minutes. Les perles ne sont pas fixes, ce qui vous permet de les changer de place selon l'occasion ou selon votre humeur.

VOUS aurez besoin de ceci :

outils

Pince à bec effilé (optionnel)

matériel

De grandes créoles de couleur or – celles-ci ont une largeur de 40 mm (¾ po)

Deux cosses brunes

Quatre disques de 14 mm en liège, en os ou en bois

Quatre perles de verre de 6 mm dans les tons de jaune intense

Quatre perles de 4 mm en liège, en os ou en bois

Huit perles en forme de graine

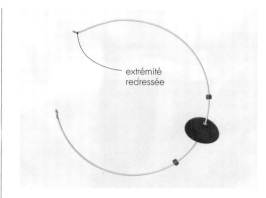

extrémité redressée

1 Prenez un des anneaux et enfilez une perle en forme de graine, un disque et une autre perle en forme de graine. Si vous trouvez difficile d'enfiler les perles, vous devrez peut-être redresser légèrement l'extrémité avec vos pinces.

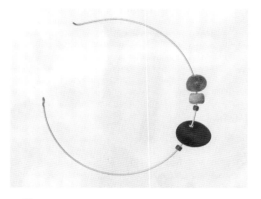

2 Enfilez ensuite une des perles de 4 mm suivie par une perle jaune de 6 mm, ce qui vous amène au centre. Pour un aspect plus rempli, ajoutez les perles additionnelles de votre choix.

3 Ajoutez la perle centrale, dans ce cas une cosse brune. Ces dernières ont l'avantage d'être grosses sans être lourdes, ce qui fait que vous obtenez un impact visuel sans en subir le poids sur vos oreilles.

4 Répétez maintenant le motif dans l'ordre inverse, en ajoutant une perle jaune de 6 mm, une perle de 4 mm, une perle en forme de graine, un disque et une autre perle en forme de graine. Répétez la séquence sur la deuxième boucle d'oreille. Si nécessaire, replacez l'extrémité de l'anneau en position.

fée des jardins

Ce modèle est une variation pastorale des créoles bohémiennes présentées aux pages 158 et 159. Dans le cas présent, l'anneau s'insère dans le connecteur, qui est ensuite attaché à la monture de boucles d'oreilles. Ces perles sont fixées de façon permanente dans l'anneau et ont peu de chance de s'en échapper.

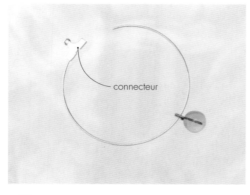

connecteur

1 Tirez le fil de l'anneau à côté du petit connecteur triangulaire. Une des extrémités glissera à l'extérieur et c'est là que vous pourrez enfiler vos perles. Commencez en enfilant un des pendentifs ronds bleus de 8 mm.

2 Ajoutez une petite feuille suivie par une perle rouge et par une perle à facettes de 6 mm. Enfilez ensuite la première perle argentée, suivie par un pendentif en feuille de 12 mm.

3 Travaillez en sens inverse, ajoutant une perle argentée, une perle à facettes, le pendentif rouge, la petite feuille et le pendentif bleu pour compléter la séquence des perles, tel qu'illustré.

4 Glissez la monture de boucles d'oreilles dans la boucle du connecteur. Poussez maintenant l'extrémité de l'anneau à sa place, profondément dans le connecteur. Utilisez la pince pour serrer le connecteur autour de l'extrémité du fil pour le maintenir en place. Répétez le tout pour confectionner la deuxième boucle d'oreille.

tigresse

Le quartz œil-de-tigre était porté par les soldats romains dans les batailles parce qu'ils croyaient que cela leur offrait de la protection. On croit aussi qu'il permet à l'esprit de bien se concentrer en plus de soulager la haute pression artérielle. Quoi qu'il en soit, c'est une belle pierre qui mérite votre attention. Dans ce modèle, des fournitures de couleur or rehaussent sa chaleur naturelle.

vous aurez besoin de ceci :

outils

Pince à sertir

matériel

Une longueur de 20 cm (8 pouces) de fil à perler Soft Flex ou l'équivalent

Deux œils-de-tigre de forme ovale de 12 mm

Quatre œils-de-tigre de 6 mm

Deux gros séparateurs marguerite de couleur or

Deux petits séparateurs marguerite de couleur or

Six perles de couleur or

Quatre perles d'arrêt de couleur or

Deux montures de boucles d'oreilles à crochet

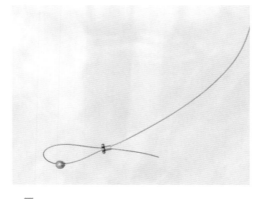

1 Coupez le fil à perler en deux. Enfilez un fil dans une perle d'arrêt, et ajoutez ensuite un petit séparateur marguerite et une perle couleur or. Repassez ensuite le fil dans le séparateur et la perle d'arrêt. Tirez fermement et sertissez la perle (voir pages 68 et 69).

2 Coupez la petite extrémité du fil ou dissimulez-la à l'intérieur de la prochaine perle. Enfilez une perle œil-de-tigre de 6 mm suivie par un gros séparateur marguerite couleur or et par la perle œil-de-tigre ovale de 12 mm.

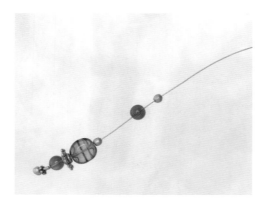

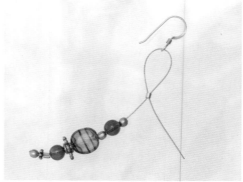

3 Ajoutez une perle ronde couleur or suivie par une deuxième perle ronde œil-de-tigre de 6 mm et d'une autre perle couleur or. Portez le fil à votre oreille, et vérifiez que vous êtes satisfaite du résultat. Sinon, apportez les changements maintenant.

4 Enfilez une perle d'arrêt, passez le filperlé à travers la boucle dans une monture de boucle d'oreille et de nouveau dans la perle d'arrêt. Tirez fermement et sertissez la perle de la façon habituelle (voir pages 68 et 69). Confectionnez la deuxième boucle d'oreille de la même façon que la première.

reine des perles

L'oreille de mer est assurément la reine des coquillages, scintillant de toutes les couleurs du rose au bleu et du vert au gris lorsqu'elle capte la lumière. Ces boucles d'oreilles simples mettent en valeur les larges perles carrées d'oreille de mer, qui sont combinées ici avec des fragments de nacre pour se maintenir dans le thème des coquillages.

Vous aurez besoin de ceci :

outils

Pince à sertir

matériel

Une longueur de 20 cm (8 pouces) de fil à perler Soft Flex ou l'équivalent

Deux perles carrées de 18 mm. Celles-ci sont des oreilles de mer

Quatre petites perles rondes argentées

Deux perles transparentes en forme de graine

Deux fragments de nacre

Quatre perles d'arrêt argentées

Deux montures de boucles d'oreilles (celles qui ont été utilisées pour ce projet sont des tiges qui se terminent avec des papillons)

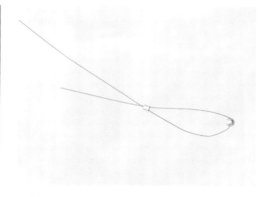

1 Coupez le fil à perler en deux. Passez l'extrémité d'un fil dans une perle d'arrêt argentée et enfilez ensuite une petite perle argentée. Repassez le fil dans la perle d'arrêt, tel qu'illustré. Tirez fermement et sertissez la perle (voir pages 68 et 69).

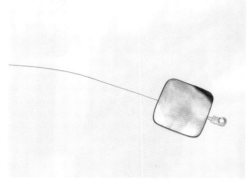

2 Coupez l'extrémité courte du fil. Si vous le souhaitez, vous pouvez laisser une petite longueur pour plus de force et la dissimuler dans une large perle carrée, que vous enfilerez par la suite.

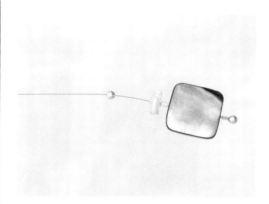

3 Enfilez une petite perle transparente en forme de graine suivie par un des fragments de nacre. Ajoutez maintenant une perle ronde argentée.

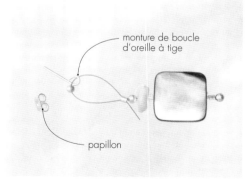

monture de boucle d'oreille à tige

papillon

4 Enfilez maintenant une perle d'arrêt argentée. Glissez le fil dans la boucle de votre monture de boucle d'oreille, et de nouveau dans la perle d'arrêt, tel qu'illustré. Tirez fermement sur le fil et sertissez la perle de la façon habituelle (voir pages 68 et 69). Confectionnez la seconde boucle d'oreille de la même façon.

princesse indienne

Le fil en spirale est épais et enroulé comme un ressort, qui fait que le fil reprend sa forme originale quand on l'étire et qu'on le relâche. En d'autres mots, ce fil se souvient de sa forme. Nous l'utilisons ici pour fabriquer un bracelet effervescent qui ressemble à plusieurs bangles portés à la fois, de façon indienne.

vous aurez besoin de ceci :

outils

Colle à perler

Pince coupante

matériel

Une longueur de fil en spirale de couleur argentée pour faire un bracelet

Perles turquoise en forme de graine

Poignée de rondelles turquoise de 3 à 4 mm de diamètre

Neuf perles de cristal ou de verre à facettes de 8 à 10 mm de diamètre de couleur rubis

Huit perles argent à facettes de 5 à 6 mm de diamètre

Dix-huit séparateurs argentés

Ruban adhésif transparent

1 Retirez la boule d'une extrémité du fil et enfilez vos perles ; si la boule est déjà enlevée, utilisez du ruban adhésif pour empêcher les perles de tomber. Enfilez les perles en forme de graine, les perles à facettes et les séparateurs marguerite en premier.

2 Continuez d'enfiler les perles. Ce bracelet comporte plusieurs perles différentes en son centre pour de la variété et de la couleur. Essayez d'ajouter quelques rondelles turquoise, tel qu'illustré ici.

3 Continuez de réaliser le motif. Une fois les rondelles ajoutées, revenez au même motif de perles que vous avez utilisé au début, en combinant les perles en forme de graine avec les perles à facettes et les séparateurs marguerite argentés.

4 Complétez le modèle. Lorsque vous ne pouvez plus ajouter de perles, replacez la boule à l'extrémité. Ces boules devraient être collées avec un peu de colle pour perles.

déesse du feu

Les cosses de graines font d'excellentes perles. Elles sont légères, colorées et suffisamment grosses pour réaliser rapidement un modèle à peu de frais. Leur apparence à la mode est particulièrement à point quand elles sont enfilées sur des lacets, tel qu'illustré ici. Des bracelets funky comme celui-ci sont également très amusants à fabriquer.

VOUS AUREZ besoin de ceci :

outils

Ciseaux

matériel

Un lacet de suède dans les tons naturels de brun ou votre préférence en ce qui concerne le matériel d'enfilement, comme du raphia ou une queue-de-rat

Six cosses de graine rouge

Neuf perles de bois de 1 cm de longueur avec des trous assez larges pour permettre le passage du lacet

1 Coupez une longueur de lacet de suède d'environ le double de la longueur désirée pour le bracelet fini. Faites un nœud simple au centre du lacet et enfilez une perle de bois. Faites un second nœud simple de l'autre côté de la perle.

2 En travaillant vers l'extérieur des deux côtés, enfilez une cosse de graine rouge et faites un nœud simple sur le lacet, de façon à ce que les cosses soient maintenues entre deux nœuds.

3 Continuez le motif jusqu'à ce que le bracelet soit de la longueur désirée. Ajoutez une autre perle de bois à chaque extrémité (voir étape 4) si vous voulez ajouter un peu de longueur.

4 Lorsque vous êtes satisfait(e) de la taille de votre bracelet, faites un nœud avec les deux extrémités pour les maintenir bien en place et coupez le lacet près du nœud, mais pas juste contre le nœud car il pourrait se défaire. Variez le modèle en ajoutant des cosses orange et des cônes de verre de 20 mm (à droite), si vous le souhaitez.

nymphe des bois

Certaines personnes pensent qu'elles ne devraient utiliser qu'un seul type de perle dans un projet pour que celui-ci soit réussi, ou qu'elles doivent utiliser des perles de taille ou de structure similaires. Ce projet est la preuve que le fait de sortir des sentiers battus et d'utiliser une approche « coordonner et assortir » peut également bien fonctionner.

1 Commencez à enfiler ce bracelet au centre et travaillez ensuite de chaque côté. De cette façon, vous serez mieux placés pour juger de l'effet de votre motif à mesure que vous progressez. Enfilez un des pendentifs sur le fil à perler.

2 De chaque côté du pendentif, vous ajouterez une perle de cristal suivie d'un séparateur, d'une perle de bois et d'un deuxième séparateur. Ajoutez maintenant une autre perle de cristal et ensuite une perle hexagonale or, tel qu'illustré.

3 Continuez à ajouter des perles de chaque côté jusqu'à ce que vous ayez atteint la longueur désirée. Ajoutez ensuite une autre perle de cristal, un séparateur, une perle de cristal, un pendentif, une perle de cristal, un séparateur, une autre perle de bois et enfin un dernier séparateur.

4 Tout ce qu'il vous reste maintenant à faire est d'attacher le fermoir. Vous passerez à chaque extrémité de votre fil une perle d'arrêt. Vous glisserez ensuite le fil à perler dans une section du fermoir et reviendrez dans la perle d'arrêt. Tirez fermement et sertissez la perle selon les instructions des pages 68 et 69.

diva du désert

Il n'y a rien de mieux qu'un bracelet à fils multiples pour représenter l'opulence et un caractère outrageant, mais qu'est-ce qu'un bracelet de ce type fait dans la section Rapide et facile ? La réponse est qu'il n'est pas tellement difficile à fabriquer et que vous n'avez pas besoin de passer des heures à enfiler des perles. Choisissez une seule couleur et votre modèle est promis à un bel avenir à votre poignet.

VOUS AUREZ besoin de ceci :

outils

Pince coupante

Prince à sertir

matériel

Une longueur de 90 cm (36 pouces) de fil à perler Soft Flex ou l'équivalent

Une large briolette d'environ 20 mm de longueur

Deux perles rectangulaires de 15 mm de longueur

Deux perles rondes et plates de 10 mm de longueur

Quatre briolettes de 8-10 mm de longueur

Deux perles rondes de 8 mm de diamètre

Environ 13 perles jaunes de cristal à facettes de 8 mm de diamètre

Deux perles carrées et plates de 8 mm de diamètre

Des perles jaune or en forme de graine

Un fermoir de couleur or

Six perles d'arrêt de couleur or

Ruban adhésif transparent

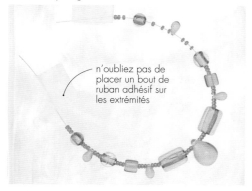

n'oubliez pas de placer un bout de ruban adhésif sur les extrémités

1 Coupez trois longueurs de 30 cm (12 pouces) de fil à perler. Placez un bout de ruban adhésif sur l'extrémité et enfilez les perles dans l'ordre de votre choix. Le bracelet de l'exemple met en valeur un motif symétrique d'environ 18 cm (7 ¼ pouces) de longueur. Placez un bout de ruban adhésif sur l'autre extrémité.

2 Prenez votre deuxième longueur de fil à perler et placez un bout de ruban adhésif sur l'extrémité. Enfilez cette longueur en utilisant un motif différent de celui du premier fil. Placez un bout de ruban adhésif sur l'autre extrémité lorsque votre fil perlé atteint la même longueur que le précédent.

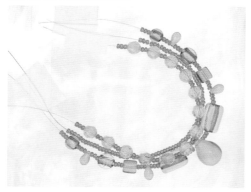

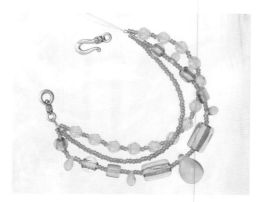

3 Enfilez votre dernier fil à perler. Étant donné que ce modèle est déjà assez gros, il n'est pas nécessaire d'enfiler de grosses perles sur le dernier fil. En fait, le dernier fil ne comprend que des perles en forme de graine.

4 Ajoutez maintenant le fermoir en sertissant chaque fil perlé aux deux sections du fermoir, selon les instructions des pages 68 à 69. Assurez-vous d'attacher un fil à la fois et que tous vos fils ne sont pas entortillés, sauf si vous voulez qu'ils le soient.

exploratrice aztèque

Que vous désiriez explorer les jungles du Mexique ou sachiez d'avance que vous n'irez jamais plus loin que le parc, sachez que ce collier décontracté alimentera vos rêves. Les grosses perles et la technique d'enfilement simple vous feront compléter ce collier en moins d'une heure.

VOUS aurez besoin de ceci :

outils

Précelles

Pince à bec effilé

Pince à bec rond ou à chapelet

Pince coupante

Ciseaux ou pince coupe-fil

matériel

Une longueur de lacet de cuir brun

Dix cosses brun foncé

Cinq perles bleues en verre dans le style pépite de 20 mm de longueur

Cinq perles décoratives couleur or ou en laiton de 20 mm de longueur

De petites perles pour décorer l'extrémité de la chaîne d'extension

Une longueur de 8 cm (3 pouces) de chaîne de couleur or

Une épingle à tête de couleur or

Deux bélières couleur or

Un fermoir en pince de homard de couleur or

1 Faites un nœud simple dans le lacet à environ 5 cm (2 po) d'une extrémité. Enfilez une cosse et faites un autre nœud près de la perle (voir pages 70 à 73). Utilisez les précelles pour vous aider à placer le nœud près de la perle.

2 Enfilez une perle dorée et faites un autre nœud. Ajoutez une cosse, faites un nœud et ajoutez une perle bleue en verre. Ceci est votre motif. Répétez la séquence des étapes 1 et 2 jusqu'à ce que vous ayez utilisé toutes vos perles.

bélière

3 Ouvrez une bélière et glissez-la dans le petit trou du fermoir en pince de homard. Refermez la bélière et nouez-y fermement une extrémité du collier, près du premier nœud. Coupez le lacet près du premier nœud et coupez l'autre extrémité, laissant un bout de lacet assez long pour faire un double nœud.

bélière

4 Attachez la petite perle à une extrémité de la chaîne avec un enroulement de fil (voir pages 78 et 79). Attachez la deuxième bélière à l'autre extrémité de la chaîne et refermez la bélière. Glissez l'extrémité libre du collier dans la bélière et faites un nœud solide, comme précédemment. Coupez le bout de lacet excédentaire.

impératrice orientale

D'accord, ce collier n'est pas si rapide à confectionner, mais il est certainement simple à fabriquer. C'est le genre de truc que vous pouvez faire devant le téléviseur, alors que la moitié de votre cerveau est absorbé par le programme du jour. Préparez des tas de perles dans un éventail choisi de couleurs et avant de vous en apercevoir, vous aurez produit un chef-d'œuvre.

vous aurez besoin de ceci :

outils

Pince coupante

Pince à sertir

matériel

Fil à perler Soft Flex ou l'équivalent

Beaucoup de perles dans un éventail réduit de couleur : rouge, jaune et orange ; rose, rouge et mauve ; ou bleu, vert et turquoise

Fermoir en pince de homard

Bélière ou fourniture de fermoir

Deux grosses perles d'arrêt (voir étape 4)

Ruban adhésif transparent

n'oubliez pas de placer un bout de ruban adhésif aux extrémités

1 Coupez cinq longueurs de fil à perler. Les fils perlés complétés auront ici les longueurs suivantes : 46 cm (18 pouces), 48 cm (18 ¾ pouces), 50 cm (19 ½ pouces), 52 cm (20 ¼ pouces) et 54 cm (21 pouces), mais ajoutez à chacune de ces longueurs 10 cm (4 pouces) supplémentaires pour vous permettre d'ajouter un fermoir avant de les couper.

2 Placez un bout de ruban adhésif à 5 cm (2 pouces) de l'extrémité du fil à perler le plus court, et commencez à enfiler les perles en créant un motif plaisant et d'apparence aléatoire. Lorsque le fil perlé est de la bonne longueur, placez un autre bout de ruban adhésif à l'extrémité.

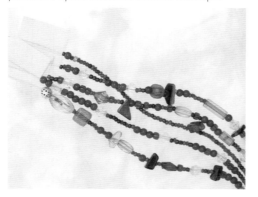

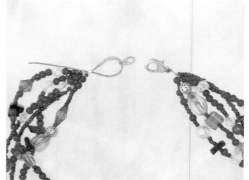

3 Enfilez les quatre autres fils à perler de la même façon. Il peut parfois être utile de disposer les fils perlés complétés devant soi pendant que vous travaillez, afin de vous assurer qu'ils iront bien ensemble.

4 Cinq perles d'arrêt seraient trop grosses à côté du petit fermoir utilisé ici, alors nous avons choisi d'attacher les cinq fils perlés avec une seule grosse perle d'arrêt. Passez les fils dans la perle d'arrêt, ensuite dans le fermoir et de retour dans la perle d'arrêt. Sertissez de la façon habituelle (voir pages 68 et 69).

oiseau bleu

Ce collier a été inspiré par le lasso de la page 126, mais la petite boucle à la fin signifie que vous aurez besoin de beaucoup moins de perles, car vous n'aurez pas à le doubler. Ce modèle simple est facile à suivre et idéal pour un(e) débutant(e), car vous n'avez pas besoin d'outils spécialisés.

vous aurez besoin de ceci :

outils

Ciseaux ou pince coupe-fil

Colle à perles

matériel

Fil à perler transparent ou de couleur argentée

Une perle ovale transparente ou blanche en forme de pépite de 30 mm

Une perle ovale plate bleue de 20 mm

Une perle transparente ou blanche de 12 mm

Deux perles ovales bleues en verre de 15 mm

Quatre pépites transparentes ou blanches de 14 à 15 mm

Trois perles décoratives bleues en verre de 12 mm

Trois perles ovales brunes en verre de 10 mm

Quatre perles rondes transparentes ou blanches de 7 mm

Quatre perles rondes brunes de 7 mm

Trois perles rondes bleues de 7 mm

Une perle ronde jaune de 7 mm

Une poignée de perles brunes en forme de graine

nouez le fil autour de la perle

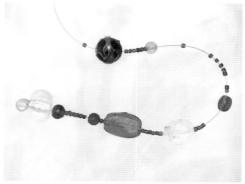

1 Coupez une longueur de 90 cm (une verge) de fil à perler de nylon transparent ou de fil argenté. Cela vous procurera suffisamment de marge de manœuvre. Attachez une première perle ronde transparente de 7 mm près d'une extrémité avec un double nœud, tel qu'illustré.

2 Procédez maintenant à l'enfilement des perles, en commençant avec une perle transparente de 20 mm et en séparant les grosses perles à l'aide d'un nombre aléatoire de perles en forme de graine. Servez-vous des photos à titre de référence si vous souhaitez reproduire ce modèle, ou créer vos propres motifs.

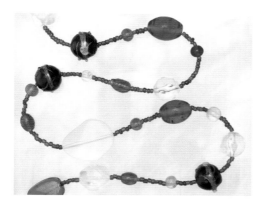

3 Répartissez les plus grosses perles décoratives de façon à peu près égale tout en conservant l'aspect décontracté du collier. Continuez d'enfiler les perles jusqu'à ce que le lasso soit de la taille désirée, soit environ 66 cm (26 pouces) ou la longueur qui vous convient.

4 Enfilez environ 8 cm (3 pouces) de perles en forme de graine et ajoutez ensuite une perle brune de 7 mm. Passez le fil à travers une ou deux des premières perles enfilées de cette section, tirez fermement et faites un double nœud. Coupez l'extrémité du fil et sécurisez le tout avec un peu de colle.

reine africaine

On découvre rapidement d'où provient le nom de ce collier quand on regarde les belles perles turquoise africaines qui le composent. De grosses perles de métal sont également utilisées pour rehausser le thème africain, et certaines ont une surface ornée de pierres pour s'harmoniser avec les couleurs des perles turquoise. Les perles d'extrémités en cône sont purement décoratives.

vous aurez besoin de ceci:

outils

Pince coupante
Pince à sertir

matériel

Fil à perler Soft Flex
ou l'équivalent

Une longueur de 40 cm
(16 pouces) de perles
africaines turquoise
de 8 mm

Une longueur de 40 cm
(16 pouces) de perles
africaines turquoise
de 6 mm

Quatre bicônes argent
de 18 à 20 mm

Trois perles métalliques
rondes ornées de pierres
d'environ 15 mm
de diamètre

Deux cônes (perles
d'extrémités) de couleur
argentée (optionnels)

Fermoir argenté en S
Ruban adhésif
transparent

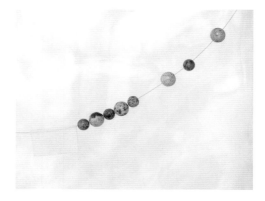

1 Coupez une longueur de fil à perler (un mètre ou une verge). Placez un bout de ruban adhésif à une extrémité et commencez à enfiler les perles turquoise de 6 mm et de 8 mm en alternance.

2 Enfilez 21 perles, tel qu'illustré, de sorte que chaque perle de 6 mm soit suivie d'une perle de 8 mm, à l'exception de la dernière. Ajoutez maintenant une perle argentée de 18 mm et continuez à enfiler, en continuant avec une perle de 6 mm, comme avant.

3 Lorsque vous aurez enfilé neuf perles turquoise, ajoutez une perle de métal ornée de pierre et enfilez neuf autres perles turquoise. Comme auparavant, commencez avec une perle plus petite de 6 mm, tel qu'illustré.

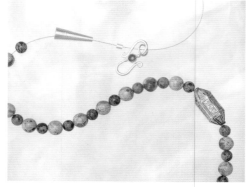

4 Ajoutez une grosse perle argentée et continuez à enfiler, en plaçant les perles décoratives à une distance de neuf perles turquoise et en vous basant sur la photo de la page suivante. Complétez le tout avec 21 perles turquoise. Glissez un cône à chaque extrémité et attachez le fermoir (voir pages 68 et 69).

thèmes de couleurs inspirants

tout ce qu'il faut savoir sur les couleurs

Est-ce que vous êtes en mesure de combiner des couleurs de façon intéressante et excitante avec tellement de facilité que c'en est presque devenu un processus inconscient? Êtes-vous capable d'associer des couleurs que les autres ne penseraient même pas à associer et, chemin faisant, en arriver à créer quelque chose de spectaculaire et qui suscite l'envie? Si ce n'est pas le cas, continuez votre lecture et nous vous présenterons quelques trucs pour connaître le succès avec les couleurs.

Nous sommes nombreux à avoir des couleurs préférées auxquelles nous revenons souvent dans nos vies. À d'autres moments, nous choisissons des couleurs selon notre humeur ou la saison. Mais il y a ces moments où nous voulons quelque chose de plus excitant qui sorte des sentiers battus, quelque chose de plus stimulant, qui vibre davantage. Si vous savez que vous voulez quelque chose de plus, mais que vos ne savez pas par où commencer, alors peut-être voudrez-vous jeter un coup d'œil vers les combinaisons suivantes.

combinaisons créatives

Thème à couleur unique : choisissez des perles d'une seule couleur, ajoutant de la variété en diversifiant les formes et les tons (voir Œil-de-tigre, pages 106 et 107 et Mauve en tête, pages 122 à 125).

Familles de couleurs : limitez-vous à deux ou trois couleurs adjacentes sur la roue de couleurs pour produire une douce harmonie. Bleu, turquoise et vert, par exemple, ou encore jaune, orange et rouge, ou bleu jusqu'aux mauve et rouge (voir Rêve des îles, pages 150 à 153 et le Collier à fils multiples des pages 176 et 177).

Couleurs complémentaires : ce sont les couleurs qui sont opposées sur la roue des couleurs et qui, lorsque placées côte à côte, font paraître l'autre plus brillante et plus voyante. Tentez de combiner le jaune avec le mauve, le vert avec le rouge, et le bleu avec l'orange pour de plus grands contrastes. Pour un effet plus subtil, choisissez un contraste moins frappant comme la combinaison bleu et jaune, toujours très populaire.

Thèmes : ce sont de très bons moyens de concevoir une histoire pour la couleur. Pensez simplement à un thème comme la forêt tropicale, les anges ou le feu et choisissez ensuite les couleurs, les motifs et les textures qui, à votre avis,

conviennent le mieux au thème choisi. Les pages 186 à 205 vous donnent quelques exemples pour vous inspirer à vos débuts. Ne vous inquiétez pas trop au sujet de l'authenticité à ce stade. Votre idée de ce qui constitue un thème particulier peut très bien être différente de celle d'une autre personne. Cela importe peu. Ce qui est important est que votre thème vous fasse réfléchir à des couleurs qui vont bien ensemble, et de plus ils vous fait souvent penser à d'autres aspects, comme décider si les perles doivent être brillantes ou mates, sans motifs ou texturées.

rangement des couleurs

Rangez vos perles par couleur (image de droite) afin que vous puissiez rapidement trouver des combinaisons qui s'harmonisent bien.

arc-en-ciel

Ce collier contient toutes les couleurs de l'arc-en-ciel. Remarquez comment on passe d'une couleur à l'autre de façon paisible, tandis que l'effet général produit est tout de même vivant et énergisant.

feu

Pour la passion et l'énergie, combinez le rouge, l'orange, le jaune et la couleur or. Utilisez un fil à perler, une chaîne et des fournitures de couleur or pour accompagner leurs tons chaleureux.

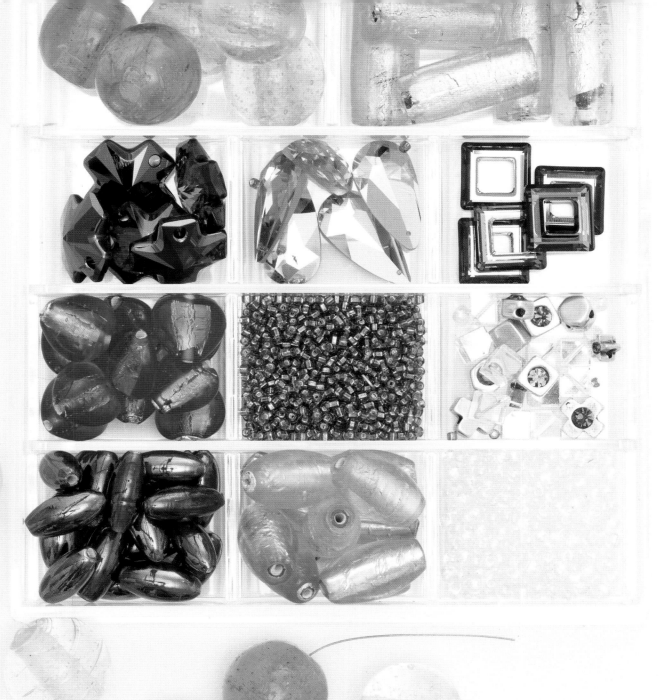

glace

Faites ressortir la Grace Kelly en vous, en vous servant des tons frais présentés dans ce tableau de couleurs pour vous inspirer. Choisissez parmi cette palette de bleu royal, de lilas givré et de cristaux scintillants pour créer des bijoux à l'aspect glacial.

ange

Le blanc et les tons crème ont de tout temps été associés avec la vertu dans le monde occidental. Ajoutez de la couleur or, des perles et du cristal scintillant pour faire s'envoler plus que quelques plumes.

vilaine

« Lorsque je suis bonne, je suis très bonne et quand je suis mauvaise,
je suis encore meilleure. » Si, à l'instar de Mae West, vous êtes d'humeur
à mettre de l'avant vos mauvais penchants, quoi de mieux qu'une
combinaison de noir, de rouge et de couleurs métalliques ?

princesse

Vous serez aussi jolie qu'une princesse lorsque vous combinerez des couleurs givrées avec des couleurs douces comme le rose, le mauve et la couleur pêche. Ajoutez quelques perles transparentes pour cet éclat de jeune fille ou quelques perles miroir ou polies à la flamme.

bohémienne

Révélez votre personnalité colorée en portant des
perles extravagantes et farfelues ou en mélangeant
des couleurs brillantes et contrastantes comme
cette aveuglante combinaison de rouge et de bleu.
Assemblez-les toutes ensemble dans un collier
à fils multiples pour plus d'effet.

paon

Ornés de leur fabuleux plumage, les paons se pavanent comme des rois devant leurs semblables. Inspirez-vous d'eux et pavanez-vous comme une reine devant ses sujets avec les bijoux que vous aurez confectionnés dans les couleurs de bleu, de vert et de mauve de paons.

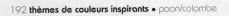

colombe

Doux comme une colombe, les tons de beige, de crème et de blanc se combinent pour produire des bijoux d'une beauté subtile qui vont bien avec à peu près n'importe quoi et qui peuvent être portés partout en toute confiance.

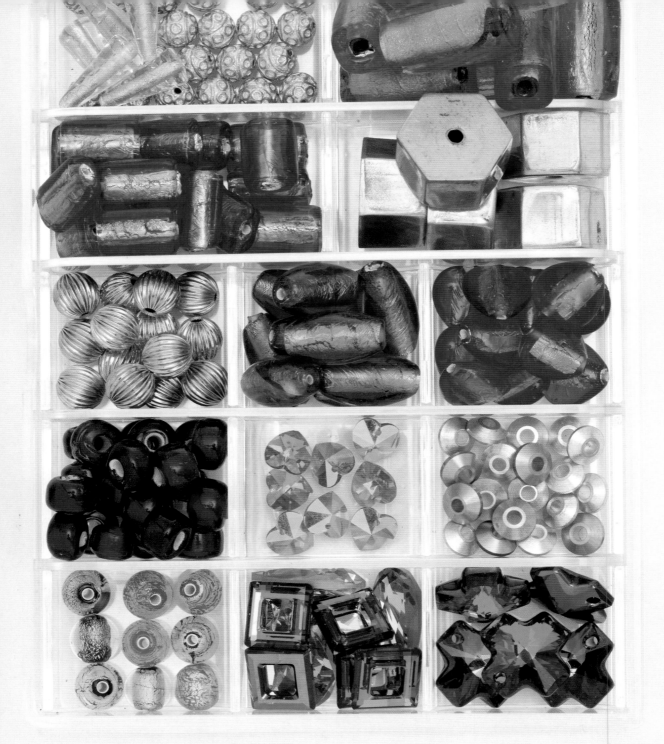

fille de party

Pour briller dans une fête, il vous faudra des perles scintillantes, étincelantes
et clinquantes. Faites votre choix parmi ces adorables perles miroir et celles
de verre qui renferment du papier argenté ou doré ou qui sont givrées, et
combinez-les avec des tas de perles or ou argentées pour un aspect fascinant.

terre mère

Jetez un coup d'œil à cet assortiment de perles faites de matériaux naturels comme le bois, les os, la pierre et la céramique (argile), et vous vous demanderez pourquoi l'humain s'est donné tant de mal pour créer des matières synthétiques. Quel meilleur moyen de se remettre en harmonie avec le cosmos qu'avec un bijou qui célèbre les petits luxes de mère nature?

antique

Ce thème vise avant tout à retrouver la fasci-
nation des époques révolues, leur opulence de
même que leur richesse, alors optez pour la
couleur or et les perles somptueuses. La taille et
la couleur ne sont pas vraiment importantes, en
autant que l'effet général produit est synonyme
de luxe et de somptuosité.

moderne

Si cet aspect est le vôtre, alors vous avez une préférence pour le chic minimaliste. Les couleurs parmi lesquelles vous pourriez choisir sont les couleurs neutres comme le blanc, le crème, le noir et le gis, et les perles devraient être simples, mais exquises. Vous concevrez ainsi un modèle qui sera un classique moderne.

le chic des années 1950

L'histoire est un bon endroit où trouver de l'inspiration pour vos bijoux.

Cette petite collection a été inspirée par les couleurs « popsicle »

qui étaient les préférées des jeunes femmes dans les années 1950.

Pensez à tous ces gilets moulants dans le film *Grease*.

le swing des années 1960

C'est dans les années soixante que Mary Quant a introduit l'idée de
la mode abordable sur le marché des jeunes alors en pleine croissance.
Il n'était plus seulement correct d'être jeune, c'était devenu essentiel.
Les couleurs servaient à s'exprimer et à se faire entendre. Alors exprimez-
vous avec vos bijoux, en utilisant quelques-unes de ces perles tape-à-l'œil
qui vous ont toujours tenté(e)s.

chute d'eau

La couleur bleue est universellement populaire,
mais le simple fait d'enfiler des tonnes de perles
bleues ne vous assurera pas la création d'un
objet de beauté. Dépensez quelques dollars sur
certaines perles bleues en verre et combinez-
les avec des perles de cristal transparent et
d'autres morceaux brillants, et jetez-vous
à fond dans le processus créatif.

forêt tropicale

Capturez l'abondance de la jungle en combinant toutes les sortes de bleu et de vert, en ajoutant des perles texturées pour représenter les reptiles et les oiseaux avec leur éclat de couleurs.

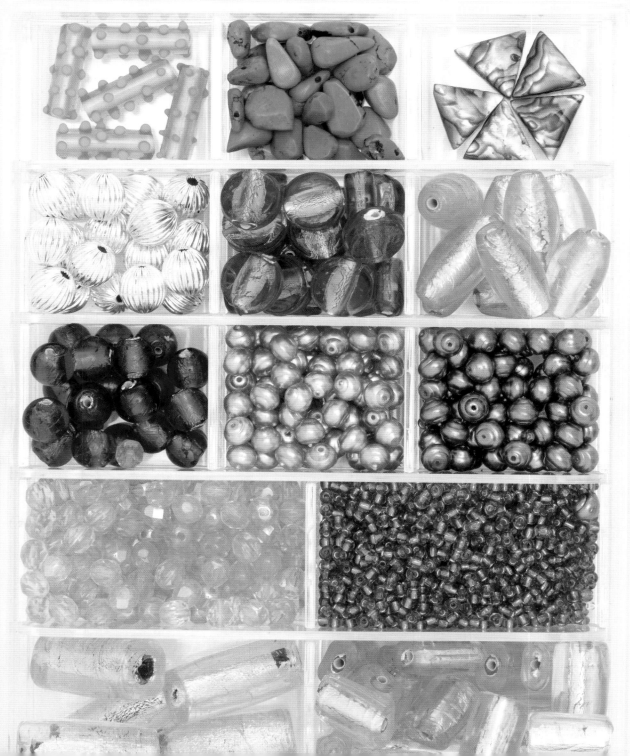

bollywood

Évoquez l'exotisme de l'Inde avec les couleurs épicées du safran, du paprika et du curcuma, et ajoutez une touche dorée pour éblouir. Enfilez les perles à la douzaine, en multipliant les fils pour un véritable effet Bollywood somptueux.

hollywood

Marilyn Monroe, Rita Hayworth, Ingrid Bergman, Betty Davis et d'autres
actrices principales des années 1940 et 1950 ont su combiner leurs
fortes personnalités avec leur féminité. Faites de même en utilisant
les couleurs fumées, sexy et les doux crèmes.

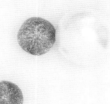

tempête

Capturez la puissance du vent, de la pluie, du tonnerre et des éclairs avec des perles métalliques, grises, vertes et bleu acier et montrez que vous aussi êtes une force de la nature.

arc-en-ciel

Après la pluie vient le beau temps, et avec
le soleil vient l'arc-en-ciel. Inspirant et tonifiant,
l'arc-en-ciel est un symbole d'espoir, de joie,
de pardon, de spiritualité et de fins heureuses.
Pour maximiser l'effet, conservez les couleurs
dans le même ordre : violet, indigo, bleu, vert,
jaune, orange et rouge, mais ajoutez différents
tons entre chaque couleur, si vous le désirez.

dépannage

nettoyage

Si vous êtes comme moi, alors vous ne retirez jamais vos bijoux, ce qui signifie que vous les portez même quand vous prenez une douche, quand vous faites le ménage dans la maison, quand vous jardinez ou encore quand vous préparez à dîner. Après un certain temps, cela aura pour effet de faire perdre du lustre et de l'éclat à vos bijoux, alors il est temps de se mettre au travail.

Les bijoux ne sont pas tous identiques et l'entretien est donc différent pour chacun d'eux. Voici quelques techniques de base à connaître.

argent

L'argent devrait être rincé dans l'eau tiède et séché par tapotements. S'il est terni, il faut le nettoyer avec un chiffon pour polir l'argent ou à l'aide d'un fluide nettoyant pour l'argent. Pour les bijoux avec des motifs complexes, utilisez une pâte pour nettoyer l'argent, qui peut s'insérer dans les petites crevasses. Ne vous servez pas d'une brosse à dents ou d'autres abrasifs, car ils pourraient égratigner la surface. Essayez avec un chiffon propre et doux. Lorsque vous êtes en voyage ou que vous

êtes pressé(e), vous pouvez aussi utiliser du dentifrice pour nettoyer l'argent, ce qui fonctionne aussi.

or

Laissez tremper l'or pendant 15 minutes dans deux tasses (240 ml) d'eau tiède avec quelques gouttes de liquide doux pour laver la vaisselle. Frotter doucement avec une brosse à dents à soie douce. Rincez avec de l'eau tiède et essuyez avec un chiffon doux.

pierres précieuses

Le moyen le plus sûr de nettoyer les pierres précieuses est dans l'eau tiède. Si vous pensez qu'un savon est nécessaire, utiliser un savon doux liquide. Rincez ensuite les pierres et laissez-les sécher sur un chiffon. Sachez que si vos pierres sont enfilées, l'eau peut étirer ou briser le fil. Certaines pierres nécessitent des soins spéciaux. L'ambre, par exemple, ne devrait jamais se trouver près de l'ammoniaque ou de toute autre solution nettoyante chaude. Les turquoises, les lapis, les malachites et les onyx devraient seulement être nettoyés avec un chiffon doux humide, puisque les détergents pourraient les décolorer. Plusieurs perles sont teintes. Passez votre doigt le long de la perle pour voir si la couleur s'enlève. Si c'est le cas, la perle en question ne devrait jamais être mise dans l'eau.

perles

Frottez les perles séparément avec un chiffon doux et propre humecté dans une solution de deux tasses (240 ml) d'eau tiède et de quelques gouttes de détergent doux. Ne les faites pas tremper, car cela pourrait étirer le fil. Laissez-les sécher à l'air toute la nuit.

nettoyer avec soin
Lorsque vous nettoyez la plupart de vos bijoux, n'utilisez que de l'eau ou n'ajoutez qu'un tout petit peu de savon liquide doux.

bijou précieux

La plupart des bijoux sont une combinaison de
différents matériaux. Lavez-les brièvement dans
de l'eau tiède, en ajoutant une toute petite
quantité de savon liquide doux si nécessaire.
Séchez par tapotements avec un chiffon doux
et propre ou laissez sécher naturellement.

raccommodage

Il est possible que vos bijoux nécessitent un brin de raccommodage à un certain moment. Les fils s'effilochent, faiblissent et puis brisent, les fils de métal tendent à courber et deviennent cassants et les ressorts à l'intérieur des fermoirs s'usent. Tout cela est normal. Mais maintenant que vous possédez ces toutes nouvelles habiletés pour fabriquer des bijoux perlés, vous pouvez réparer presque n'importe quoi.

Les **fermoirs** sont les parties des bijoux qui tendent à briser avant toutes les autres, car ce sont eux qui sont utilisés le plus souvent. Le fait de mettre et d'enlever un collier ou un bracelet à répétition exercera une pression sur l'endroit qui entoure le fermoir. C'est la même chose pour les boucles d'oreilles et les montures de boucles d'oreilles. Cependant, si vous avez acquis des habiletés avec ce livre, alors vous avez ce qu'il faut pour réparer presque n'importe quoi, et replacer un fermoir sera un jeu d'enfant même si ce n'est pas vous qui avez confectionné le bijou au point de départ.

Les **colliers** et les bracelets de perles enfilées, sur fil de soie, de nylon ou fil à perler, peuvent être refaits. Tout dépendant de l'endroit où le fil casse et de la longueur de l'article, vous aurez peut-être assez de fil ou de corde pour sertir de nouveau ou refaire un nœud à l'extrémité sans avoir à refaire le modèle dans son ensemble. Vous devrez peut-être vous contenter d'un modèle un peu plus petit afin de vous donner une marge de manœuvre suffisante pour le sertissage.

Les **articles** munis de chaînes, comme les boucles d'oreilles en chandelier des pages 96 et 97 et le collier à pendentif des pages 142 à 145 peuvent être réparés simplement en enroulant de nouveau le fil qui attache les perles ou le fermoir à la chaîne. C'est aussi simple que cela.

Les **boucles d'oreilles** qui se brisent nécessitent habituellement un remplacement de la monture de boucles d'oreilles ou un enroulement avec fil d'une perle avec une épingle à tête. Je compte davantage de client(e)s qui sont venu(e)s me voir pour remplacer une boucle d'oreille perdue que pour réparer une boucle d'oreille brisée. Peut-être serait-il sage de conserver quelques perles supplémentaires lorsque vous fabriquez des boucles d'oreilles, ou même d'en fabriquer une de plus en cas de perte !

des perles bien attachées

Lorsque vous utilisez du fil ou des lacets, c'est toujours une bonne idée de faire un nœud entre chaque perle. Cela n'est pas seulement une question esthétique, car ces nœuds feront en sorte de maintenir davantage de perles en place si le collier venait à briser. Peut-être devrez-vous enfiler de nouveau tout le modèle mais au moins vous aurez les perles pour le refaire.

pas de nœuds

Ces perles seraient restées groupées si la personne qui a confectionné le collier avait pensé
à faire des nœuds entre chaque perle, ce qui
est une précaution à ne pas négliger surtout si
votre collier contient des perles de valeur ou des
pierres semi-précieuses. De plus, les nœuds font
en sorte de protéger les perles des frottements,
ce qui évite de les endommager.

restaurer et recycler

Les gens recyclent leurs bijoux depuis des années. La tradition est de prendre des bijoux de famille reçus en héritage, comme la bague de fiançailles de votre grand-mère, et de les faire resserrir. Peut-être ne voudrez-vous pas toucher aux bijoux de votre famille, mais vous pourrez malgré tout prendre vos vieux bijoux et en faire de nouveaux.

Si vous faites des bijoux depuis plusieurs années, vous en aurez probablement amassé toute une collection. Avec le temps, vos habiletés se développent et les styles changent. Peut-être vous retrouverez-vous éventuellement avec des tas de bijoux que vous n'aurez plus envie de porter.

Les **boucles d'oreilles** peuvent facilement être mises au goût du jour en changeant une monture de boucles d'oreilles simple par une monture plus élaborée, ou en faisant des créoles à partir de boucles d'oreilles à pendentifs. Même un simple changement comme de remplacer de vieilles fournitures par de nouvelles en or ou en argent peut faire toute une différence.

Les **bracelets** que vous ne portez plus, par exemple des fils simples, peuvent être combinés pour réaliser des bracelets à fils multiples flamboyants pour un tout nouvel aspect. Tentez d'ajouter des breloques ou des pendentifs pour plus de panache.

Les **colliers** peuvent aussi être mis au goût du jour en ajoutant un tout nouveau pendentif à un simple collier. J'ai fait cela plusieurs fois et les vieux colliers prennent alors un tout nouvel

aspect. Vous pouvez transformer un collier de perles enfilées en un somptueux collier, ou même remplacer les fournitures argentées par d'autres en or. J'ai également défait quelques colliers pour leurs perles ou leurs composantes et je les ai utilisées pour de nouveaux modèles différents. Peu importe ce que vous décidez de faire, sachez que vous restaurez vos perles afin qu'elles retrouvent leur beauté d'origine en espérant que cela vous permettra d'en profiter de nouveau, jusqu'à ce que vous décidiez de changer encore une fois.

regardez autour de vous
Les boutons d'un vieux cardigan donnent un aspect inattendu à ce joli bracelet.

recyclage
Ce collier à droite n'était plus apprécié comme avant, mais certaines perles ont été utilisées à bon escient dans la confection de ce gros bracelet moderne, sur la grande photo de droite.

solutions de rangement

Les perles qui entrent dans la fabrication des bijoux roulent, rebondissent, tombent et se cachent dans tous les coins. Elles ne sont vraiment pas toujours commodes. Et je ne parle pas de tous les morceaux de fil à perler qui se retrouvent sur le plancher et sous les pieds nus de mon mari. Le fait de ranger vos perles d'une façon organisée vous fera gagner du temps en plus de vous aider au chapitre de la créativité.

Certaines personnes aiment ranger leurs perles par couleur, d'autres par formes et d'autres encore par taille. Peu importe la méthode que vous choisirez, assurez-vous d'avoir un accès facile à votre matériel, sinon vous serez rapidement frustrée. Le fait de pouvoir voir toutes vos perles et vos pierres d'un seul coup d'œil et d'y avoir accès facilement peut vous aider à prendre d'importantes décisions à propos des choix de couleurs, de tailles, de textures, de motifs, etc.

options de rangement

Les **boîtes** sont une solution de rangement évidente. Une bonne boîte de rangement pour des perles est un contenant qui est transparent et qui permet l'empilage. Pour les perles en forme de graine, je vous conseille un contenant pour perles qui vous donne la possibilité d'ouvrir un bouchon et de verser des perles d'une section du contenant alors que les autres perles demeurent sagement dans leurs compartiments. La plupart de mes fournitures récentes, de mes breloques et de mon matériel divers sont dans un conte-nant de rangement vendu dans une quincaillerie et qui sert habituellement à ranger des clous et des vis. Il possède plusieurs tiroirs qui sont transparents afin que je puisse voir à l'intérieur ce qui s'y trouve, et ce contenant est sur ma table de travail pour un accès facile.

toute une commande

Les perles, les bonbons et d'autres articles sont souvent vendus dans de grands tubes transparents en plastique avec des couvercles qui peuvent être replacés, qui sont très bien pour ranger les perles. Cependant, les petits tubes sont les meilleurs. Imaginez que vous vouliez prendre une perle qui soit tout au fond d'un grand tube !

Les **sacs de plastique** transparents sont une autre excellente option. Je range toutes mes perles et mes pierres dans des sacs Ziploc® et je les range dans un tiroir. Comme vous pouvez vous en douter, j'ai énormément de perles ! Cependant, dans mon entreprise, je conçois des bijoux selon les saisons et je ne conserve que les perles avec lesquelles je travaille à portée de main. Toutes les autres perles se trouvent dans une autre unité à tiroirs multiples de l'autre côté de la pièce.

trucs pour le rangement

Voici quelques trucs supplémentaires sur le rangement, que j'ai pu développer au cours des années :
• Les contenants transparents comme les bouteilles d'aspirine, de Tic Tac®, les pots de nourriture pour bébés et les sacs transparents sont bien mieux que les contenants opaques parce que le contenu est facilement visible.
• Si vous voulez utiliser des contenants opaques, comme des boîtes à bonbons, des petits contenants pour les films 35 mm et les contenants de margarine, vous pouvez le faire. Pour vous aider à trouver ce que vous cherchez, écrivez sur le contenant ce qu'il y a à l'intérieur ou prenez une photo du contenu et collez-la sur le couvercle.
• Vous n'avez pas à dépenser beaucoup d'argent pour ranger vos perles, et je sais que vous avez déjà dépensé pas mal de sous pour vos perles ! Fouillez dans votre maison et dans le garage à la recherche de contenants qui pourraient être recyclés pour ranger vos perles. J'ai même entendu dire que quelqu'un avait transformé son support à épices en support à perles. Ça, c'est de la créativité !

la meilleure boîte de rangement

J'aime beaucoup les boîtes de rangements transparentes car elles vous permettent de voir d'un coup d'œil ce qui se trouve à l'intérieur, sans même avoir à soulever le couvercle.

ressources

Canada

Omer de Serres

21 magasins à travers le Canada
Tél. : (514) 842-6637
1 800 363-0318
Téléc. : (514) 842-1413
1 800 565-1413
Courrier postal : Omer DeSerres
334, rue Ste-Catherine Est
Montréal (Québec) H2X 1L7
www.omerdeserres.com
L'art de la joaillerie est désormais à votre portée. Osez les combinaisons les plus audacieuses avec ces perles et ces ensembles colorés. Fils et outils, modelage de bijoux, perles de bois et de verre. Vous pouvez joindre le personnel du Service à la clientèle ou l'un des représentants du lundi au vendredi, de 8 h 30 à 17 h (heure de l'Est).

Bidz

3945-A, St-Denis
Montréal (Québec)
H2W 2M4
Tél. : (514) 286-2421
Sans Frais : 1 877 324-5537
www.bidz.ca
Boutique de vente au détail qui offre aussi un service de vente en « semi-gros » et vente « en gros ». Atelier de fabrication de bijoux pour les débutants et les personnes expérimentées. Vaste éventail de perles en bois naturel et peint multicolore, perles en verres et métalisées. Pierres semi-précieuses.

Création Eden

6125, Bélanger est
Montréal (Québec)
Tél. : (514) 703-8688
Couriel : creationeden@videotron.ca
www.chocoeden.com
Présentation de bijoux fabriqués à la main au Québec. Vente d'accessoires et de billes pour la fabrication de bijoux et cours disponible. Commande par Internet acceptée.

Touchatou

Coordonnerie Monic
1395, ave. Du Pont
Marieville, Qc
Tél. : (450) 460-3009
www.boutiquetouchatou.ca
Pour acquérir les connaisances nécessaires afin de créer vos propres bijoux et vous initier à des techniques avancées de différentes méthodes de fabrication de bijoux.

Bead FX

128 Manville Road Suite 9,
Scarborough, ON M1L 4J5
Tél. : (416) 701-1373
www.beadfx.com
Principalement des perles de verre et de cristal, mais aussi quelques-unes en métal, des fournitures et des cours.

The Sassy Bead Co

2076 Yonge Street
Toronto, ON M4s 2AT
Tél. : (416) 488-7400
www.sassybead.yp.ca
Principalement des perles de verre et de cristal, mais aussi quelques-unes en métal, des fournitures et des cours.

Internet

Perles & Co

www.perlesandco.com
Un grand choix de perles en métal excellents prix et qualité !

La Malle aux Perles

http://site.voila.fr/La_Malle_aux_Perles/index.html
Quelque 300 références de bijoux artisanaux à travers un catalogue de vente en ligne de bijoux fantaisie et d'accessoires.

Créa'Perles

http://crea.perles.free.fr/
Site sur les bijoux et les perles en cristal de swarovski. Schémas de bijoux gratuits. Vente de perles et de bagues à prix intéressants.

Passion Crochet

http://passion-crochet.site.voila.fr/bijou.html
Site qui propose de découvrir la technique des bijoux réalisés en perles Swarovski, perles à facettes, perles de rocailles, crochet et autres techniques.

Show-Beads.net

http://www.show-beads.net
Vente en ligne de bagues en perles de Cristal de Swarovski, perles argent de Bali, perles czech, perles de rocaille.

Creatis

http://www.creatis.biz
Creatis vente de perles (perles cristal

swarovski, perles verre, perles bois, toupie cristal, perles de rocaille, perle métal), des modèles, des schémas bague et colliers.

Samarine Boutique

http://samarineboutique.fr
Vente au détail de perles (Swarovski et autres) et accessoires pour la réalisation de bijoux fantaisies (toupies, facettes, rondes, rocailles, cabochons, navettes, marquises, boutons, gouttes, fleurs, cœurs strass).

Metissage

http://www.metissageperles.com
Importateur et distributeur en gros et au détail de perles fantaisie en verre et en matières naturelles (bois, os, corne…) et de bijoux fantaisie.

France

Liste de magasins spécialisés dans la vente de bijoux

http://glaforge.free.fr/weblog/index.php?itemid=47

États-Unis

Beads and Pieces

1320 Commerce St, Suite C, Petaluma, California 94954
Tél.: 1 800 65-BEADS
www.beadsandpieces.com
Des perles de qualité en bois, en corne, en coquillage, en verre, en

argent et en or, des cosses, des fournitures, des outils et plus encore.

The Beadin' Path

15 Main Street
Freeport, Maine 04032
Tél.: 1 877 92-BEADS
www.beadinpath.com
Une grande sélection de pierres semi-précieuses de qualité et de perles, ainsi que d'autres types de perles, de bijoux déjà faits, de livres, et plus encore.

The Bead Shop

158 University Avenue
Palo Alto, CA 94301
Tél.: (650) 328-7925
www.beadshop.com
Toutes sortes de perles incluant des perles de bois, des pierres semi-précieuses, du cristal et d'autres. Aussi des breloques, du matériel d'enfilement, des sacs et des boîtes.

Earthstone

112 Harvard Ave. #54
Claremont, CA 91711
Tél.: 1 800 747-8088
www.earthstone.com
Une impressionnante sélection de pierres semi-précieuses et de perles rares dans une grande variété de formes et de tailles.

Fire Mountain Gems

1 Fire Mountain Way
Grants Pass, OR 97526-2373
Tél.: 1 800 355-2137
www.firemountaingems.com

Des perles de tous les genres pour toutes les bourses, des fournitures, du matériel d'enfilement, des chaînes, des perles en or, des outils, des solutions de rangement et des instructions.

Fusion Beads

3830 Stone Way
North Seattle, WA 98103
Tél.: (206) 782 4595
www.fusionbeads.com
Des perles de cristal, de diamants de fantaisie, de verre, de bois et d'autres perles, des chaînes, des fournitures et beaucoup plus.

Helby

37 Hayward Ave
Carteret, NJ 07008
Tél.: (732) 969-5300
www.helby.com
Détaillant des outils Bead Smith. Aussi des fournitures, du matériel d'enfilement et des perles. Ventes en gros seulement.

Kings Road Beads

309 N. Kings Road
Los Angeles, CA 90048
Tél.: (323) 782-0209
Pierres semi-précieuses et d'autres perles.

Lucky Gems

1220 Broadway, 3/F
New York, NY 10001
Tél.: (212) 268-8866
www.lucky-gems.com
Vaste éventail de perles en plusieurs formes et couleurs, et grande sélection de pierres semi-précieuses.

Luxe Jewels

1860 El Camino Real
Burlingame, CA 94010
Tél.: 1 800 920-LUXE
www.luxejewels.com
*Apprenez à faire des bijoux lors de
présentations à domicile ; ensemble
pour fabriquer des articles spécifiques
incluant les bracelets présentés aux
pages 108 à 111 et 112 à 115.*

Rio Grande

7500 Bluewater Road NW
Albuquerque, NM 87121
Tél.: 1 800 545-6566
www.riogrande.com
*On dit de ce magasin qu'il est le plus
important et le plus complet fournisseur
au monde dans l'industrie des bijoux.
Voyez leurs ateliers de perles dans
les foires commerciales.*

Soft Flex Company

PO Box 80
Sonoma, CA 95476
Tél.: (866) 925-3539
www.softflexcompany.com
*Fournisseur de fil fin de qualité mais
aussi de perles, de connecteurs
et d'autres articles.*

Taj Company

42 West 48th St. 14th floor
New York, NY 10036
Tél.: 1 800 325-0825
www.tajco.com
*Pierres précieuses et semi-précieuses,
perles et perles de métal.*

Toho Shoji

990 6th Ave
New York, NY 10018
Tél.: (212) 868-7465
www.tohoshojiny.com
*Variété de perles, grand éventail
de fournitures incluant des perles
d'extrémités, des fermoirs, des montures de boucles d'oreilles et des outils.*

Magazines

Miss Perle

http://www.missperle.com/
*Magazine de bijoux et accessoires en
perles de rocailles pour les débutantes
comme pour les plus avancées.*

Création colibri

www.geocities.com/creationscolibri/
*Vente des perles de verre à l'unité et
autre matériel pour vous permettre
de créer vos propres bijoux !*

Bead & Button

Tél.: 1 800 533-6644
pour vous abonner
www.beadandbutton.com
*Grand nombre de projets faciles
à suivre, conseils et ressources.*

Bead Style

www.beadstylemag.com
*Magazine bimensuel des éditeurs de
Bead & Button. Grand nombre de pro-
jets qui conviennent aux débutants.*

Beadwork

Tél.: 1 970 669-7672
pour vous abonner
www.interweavepress.com
*Projets incluant du tissage avec
des perles, des profils d'artistes,
des nouvelles et des ressources.*

Lapidary Journal

Tél.: 1 800 676-4336
pour vous abonner
www.lapidaryjournal.com
*Nouvelles, ressources et projets
pour les débutants comme pour
les plus avancés.*

Step by Step Beads

www.stepbystepbeads.com
*Projets expliqués pour les débutants
comme pour les plus avancés.*